Milwr Bychan
BERNARD ASHLEY

Hoffwn ddiolch i'r Anrh. Joyce Mpanga MP
a Fred Kisembo, Esi Eshun, Denise Hyland
ynghyd â Michael Grier o gwmni Tate and Lyle
am eu cymorth gyda fy ymchwil.

MILWR BYCHAN
ISBN 978-1-904357-27-8

Rily Publications Ltd
Blwch Post 20
Hengoed CF82 7YR

Cyhoeddwyd am y tro cyntaf gan Orchard Books yn 1999

Cyhoeddwyd yn wreiddiol yn Saesneg fel *Little Soldier*

Addasiad gan Siân Melangell Dafydd
Hawlfraint yr addasiad © Rily Publications Ltd 2011

Noddwyd gan Lywodraeth Cynulliad Cymru

Cysodwyd gan Wasg Dinefwr, Llandybïe, Sir Gaerfyrddin

Argraffwyd a rhwymwyd yn y Deyrnas Unedig
gan CPI Cox & Wyman Ltd, Reading, Berkshire.

www.rily.co.uk

Milwr Bychan

BERNARD ASHLEY

Addasiad
Siân Melangell Dafydd

RILY

'Fan'ma, *man*, tyrd i gael golwg go iawn ar y twll ym
mraich Ken. Dangos dy fraich iddyn nhw, Ken!'
Roedd Theo Julien yn ceisio denu torf yn iard yr
ysgol fel dyn â stondin ym marchnad Thames Reach
– â Kaninda Bulumba fel stoc ar ei stondin. 'Tyrd
o'na, Ken, rho sioe iddyn nhw!'

Ond roedd llygaid Kaninda'n dweud, 'Na! Dos
o'ma! Paid â chyffwrdd!' Doedd yr hen dwll bwled
yn ei fraich ddim yno i'w ddefnyddio fel y byddai
plant y stryd yn ei wneud, er mwyn begera am swllt
neu ddau. Nid yno er mwyn i bobl syllu arno roedd
o, nid yno i bobl glegar fel ieir. Hwn oedd y pant
bychan y glaniai ei fysedd yn naturiol arno, yng
nghanol nos, yr unig farc oedd arno fo er i dyllau
bwledi eraill wneud llawer mwy o niwed i'w deulu:
eu lladd. Drosodd a throsodd.

'Mi fasai'n llawer mwy o hwyl gweld pa dyllau
eraill sydd ganddo fo!'

'Ie, *go on*, 'sa hynny'n hwyl!'

'Ych!'

'Dwi 'di gweld ei fraich o,' meddai rhywun. 'Yn Addysg Gorfforol. Mae mam fi 'di gwneud gwaeth i Yncl...'

Cydiodd Theo yn Kaninda a'i lusgo'n ôl pan geisiodd gerdded i ffwrdd. 'Paid â 'ngadael i lawr – dwi ond yn trio gwneud iddyn nhw deimlo drosot ti. Gwaedu drosot ti.'

'Dwi'm isio gwaed, ti'n deall?'

Tapiodd Theo fo ar ei gefn. Mr Gwên-fel-cath Calon-fawr. 'Na? Be wyt ti isio 'te, Ken?' Roedd wedi colli'i gynulleidfa bellach.

Ni ddwedodd Kaninda air. Edrychodd i fyny at do'r ysgol, ar ongl serth y derbynnydd lloeren oedd, bob dydd, yn dweud yr un peth wrtho: ei fod yn bell, bell i ffwrdd o'i gartref, lle'r oedd derbynnydd lloeren Gwesty'r Nil yn eistedd mor fflat â phowlen *posho*. Pe bai ond yn medru cyfrifo ongl hon, gallai ddarganfod yn union faint o filltiroedd oedd rhwng y ddwy. Pe bai'n deall y mathemateg.

Trodd yn ôl at Theo a chwyrnu. 'Be' dwi isio? Fy nhir fy hun. Lladd y llofruddion Yusulu.'

Ac ni allai Theo Julien wneud dim ond derbyn hynny.

Cofleidiodd Kaninda ei anifail anwes – y cameleon – yn dynn at ei frest; doedd o ddim am ei ollwng, byth byth-oedd, nid yn y byd hwn na'r nesaf. Ceisiodd orfodi'i feddwl i droi mor dywyll â'r nos y tu allan, meddwl am ddim byd, meddwl am fod yn farw. Petai milwyr y llywodraeth yn dod yn ôl drwy'r drws, ni fyddai'n rhaid iddyn nhw weld unrhyw arwydd o fywyd yma, gan ddyn nac anifail – na deall fod unrhyw beth ar droed. Pan oedd yr Yusulu'n gadael bro yn farw, roedd y fro honno wedi marw go iawn – roedd hyd yn oed y llipryn ci olaf wedi marw. Roedd yn rhaid i Kaninda orwedd mor llonydd â chorff, rhannu'r un mwd gwlyb â gwaed ei deulu ar y llawr, anadlu pytiau pitw o aer fel mosgito, peidio â rhoi unrhyw sylw i'r llosg yn ei fraich lle'r oedd wedi'i daro gan y fwled a aeth trwy gorff ei fam – a gweddïo i Dduw fod y milwyr yn rhy llawn o dân a chynnwrf y lladd i ffwdanu llosgi'r tŷ.

'Ydych chi'n gwisgo'ch gwregys diogelwch?'

Roedd y stiward yn pwyso dros y ddynes i wneud yn siŵr. Drwy weld yr wyneb gwyn-binc, cafodd Kaninda ei dynnu'n ôl o'r lle roedd o wedi bod, a throdd y cameleon wrth ei frest yn ddwrn tyn.

'Mae'n fore. Byddwn ni'n glanio cyn bo hir. Hoffech chi agor hwn?'

Wnaeth y dyn ddim aros am 'ie' neu 'na' – fel pe bai'n gwybod beth oedd orau i ffoadur. Gwthiodd len golau'r ffenestr i fyny.

'Dyna welliant,' dywedodd y ddynes oedd yn teithio gyda Kaninda, 'Rŵan gallwn ni weld lle'r ydyn ni'n mynd, a phopeth.'

Ond ni allai Kaninda weld. Y cyfan y gallai ef ei weld oedd brig y cymylau fel milltiroedd o wrych-oedd cefn gwlad wedi'u lliwio'n binc gan yr haul yn gwawrio: lliw gwaed yn gwlychu ffrog wlyb.

Aeth y stiward yn ei flaen, gan wneud yn siŵr fod pawb wedi eu strapio yn eu seddau wrth iddynt ddeffro o'u cwsg cadair, yr holl blant hynny a gafodd eu tynnu o gamp Bikoto. *Y rhai lwcus*, fel y caent eu hatgoffa'n ddi-baid. Trodd Kaninda i edrych ar y ddynes hon wrth ei ochr: Capten Betty Rose. Dynes fawr, nid mor ddu â fo, yn eistedd fel procer yn ei sedd, fel athrawes mewn llun ysgol, yn ufuddhau i bob cyfarwyddyd wrth i'r awyren ddod i lawr, allan o'r awyr.

'Criw Cabin – ewch i'ch lle ar gyfer glanio.'

Patiodd Capten Betty Rose ben-glin Kaninda wrth i'r awyren fynd drwy'r stwnsh cymylau. 'Ddim yn hir, rŵan, boi. Dacw ni: Llundain a dy gartref newydd di.' Ond roedd ei gwên wedi'i hanelu i fyny i'r awyr, nid ato fo.

Symudodd Kaninda'r flanced ar ei lin; oddi tano, rhoddodd ei law ar ei wregys diogelwch a'i agor. Dau hollt oedd ei lygaid, a'i geg wedi'i chau ac yn sych. Roedd ei fywyd wedi dod i ben. Nid oedd yn poeni dim beth fyddai'n digwydd. Pe bai'r awyren yn cwympo o'r awyr nawr, roedd o *eisiau* marw. Gobeithiai am hynny. Ond ni fyddai byth yn gwneud

yr hyn roedd y bobl yma'n ei ddweud wrtho. O hyn
allan, nid oedd am gymryd gorchmynion ganddyn
nhw nac ychwaith gan unrhyw un arall. Roedd
ei orchmynion yn dod gan Y Llewpart – Cyrnol
Munyankindi – a Rhingyll Matu; gan y gwrthryfel-
wyr – i orwedd yn llonydd, i lenwi poteli plastig â
dŵr glaw o byllau, i gasglu ffa goa, i saethu, i ladd.
Yr unig orchmynion eraill y byddai'n eu dilyn oedd
ei orchmynion ef ei hun. A'r gorchymyn pennaf – pe
na bai'r awyren yn disgyn – oedd troi ar ei sawdl,
mynd yn ei ôl i ymuno eto â'r gwrthryfelwyr Kibu
a'u cynorthwyo i roi i'r Arlywydd a'i dylwyth Yusulu
yr un dynged ag a gafodd ei fam a'i dad a'i chwaer
fach Gifty. A hynny fil gwaith drosodd.

Yn Heathrow, arhosai Laura Rose am yr awyren
gyda'i thad. Roedd y gair *Landed* ar y sgrin; rŵan
roedd yn rhaid aros i barti Milwyr Duw fynd drwy
giât y Mewnfudwyr a chyrraedd yr ochr draw
gyda'r plant amddifad a'u bagiau. Fel croeso
iddynt, rhag ofn fod aelodau'r wasg am ddangos eu
hwynebau, roedd Laura a'r gweddill yn eu lifrai
coch ac aur, coch am waed Crist ac aur yn cyn-
rychioli giatiau'r nefoedd. Nicyrs-mini, du o les
hefyd, o dan ei dillad, i fynd efo'r natur rebel oedd
ynddi y dyddiau hyn. Lle na fyddai'r Iesu yn gweld,
nac yn edrych chwaith, hyd yn oed pe byddai'r gallu
ganddo Ef i wneud hynny.

Rhoddodd ei thad ei freichiau am ei hysgwyddau addurnedig. 'Da 'di gweld ei bod hi wedi glanio'n saff, yntê?'

'Ie. Gwych.'

'Dim mwy o jips.'

'A dim mwy o heddwch.'

Camodd ei thad yn ôl. 'Tydi hi ddim mor ddrwg â hynny!'

'Nid hi. Y bachgen. Kaninda. Fy *mrawd* newydd i. Duw a ŵyr beth sydd o'n blaenau.'

'Beth bynnag ddaw, mae o wedi cael amser dychrynllyd. Wedi'i adael i farw a'i deulu'n gelain. Dim un enaid byw yn y byd i'w garu. Siawns nad ydan ni'n gofyn gormod ohonot ti?'

Edrychodd Laura i fyny at ei thad – dim ond is-gapten oedd ef tra bod ei mam yn gapten ac yn weinidog. Fe fyddai o bob amser yn *dweud* y pethau cywir, ond fyddai o byth yn swnio fel petai'n coelio'r geiriau â'i holl galon ac enaid. Mae'n siŵr fod ei weddïau o'n rhedeg allan o bwff hanner ffordd i'r Nefoedd, tra bod rhai ei mam, siŵr i chi, yn cyrraedd yno ar garlam.

Ond nid oedd y fath beth yn bod â charlamu trwy giatiau maes awyr. Cyrhaeddodd pawb arall o'r awyren, yna roedd yn rhaid aros am hydoedd heb ddim yn digwydd.

'Oedden nhw ar yr awyren?'

'Mewnfudwyr,' meddai tad Laura wrthi. '"Ymofynwyr lloches" – llond lle o waith papur.'

A phan ddaethant, o'r diwedd, roedd fel petai mam Laura'n dal llwyth o'r gwaith papur hwnnw, yn gyrru'r ffoaduriaid bychain yn eu blaenau, chwech ohonyn nhw wedi eu gwisgo mewn gwyn a llwyd a'u hwynebau'n datgelu dim. Ond roedd Capten Betty Rose yn fawr ac yn gwenu; 'Haleliwia!' galwodd. 'Clod i Dduw, yn wir!' – hyd yn oed cyn iddi ddweud 'Peter' neu 'Laura'. Er hynny, gollyngodd bopeth i gofleidio'i merch fel pe na bai dim byd yn bwysicach yn yr holl fyd.

Dyma roedd Kaninda'n ei wylio, wrth iddo gicio olwynion ei droli.

'Dyma Kaninda.' O'u hamgylch, roedd Monis a Mangengas a Nanous yn cael eu cyflwyno i'w brodyr a chwiorydd Milwyr Duw newydd, yr ymgyrch achub wedi dirwyn i ben, clod i Dduw.

Neu, newydd ddechrau. Safodd Kaninda mor llonydd â charcharor yn cael ei asesu fel caethwas ar gyfer y cartref. Bu'n rhaid i Peter Rose godi llaw'r bachgen er mwyn ei ysgwyd. Dywedodd Laura 'Helô' ond aros yn fud wnaeth y bachgen. Ac er mwyn mynd ymlaen â bywyd yn y modd y byddai'n rhaid mynd ymlaen â bywyd, arweiniodd Capten Betty y fintai drwy Derminal Un i le'r oedd bws mini Milwyr Duw yn aros yn y Maes Parcio Tymor Byr.

Bws mini gwyn â seddi i bedwar ar ddeg. Yr un math o gerbyd a arferai rasio o amgylch strydoedd dinas Lasai gan godi teithwyr i fynd i'r gwaith neu i'r farchnad, a'r gyrrwr yn gweiddi enw'r lle nesaf roedd o'n mynd iddo – cyn i dylwyth yr Arlywydd feddiannu pob bws a saethu bwledi drwy'r ffenestri i glirio'r dorf.

Bore bach oedd hi ym Mhrydain o hyd; dair awr yn ôl ar y cloc. Os oedd hi'n 9.00 y bore amser Lasai, roedd hi'n 6.00 y bore amser Llundain, felly roedd y ffordd i mewn i'r brifddinas yn glir. Ac roedd hon yn ffordd heb geudyllau, lle'r oedd hyd yn oed y ffyrdd bychain yn darmac yn hytrach na phridd coch – doedd yr adeiladau mawrion ddim mor wahanol i Ddinas Lasai mewn difrif, oni bai fod dim tyllau sielio yma, a'r blociau tai a'r siopau bychain yn daclusach ac yn ymestyn i bob cyfeiriad.

Pwysodd Kaninda ei ben yn erbyn y ffenestr a phan gnociodd ei ben yn erbyn y gwydr, gadawodd iddo fod yn hergwd go iawn, gadael iddo frifo, brifo gyda'i holl rym. Oherwydd doedd Kaninda ddim eisiau bod yma, ar yr un o'r strydoedd hyn. Dim ond 'lwc dda' o fod wedi'i wahanu oddi wrth rebels Kibu oedd hyn, a chael ei heidio efo'r ffoaduriaid eraill meddal, dwl.

Yr afon oedd popeth. Uebe. Dŵr oedd afonydd, diod a bwyd a golch. Ac roedden nhw'n ffyrdd, ond hefyd – i rywun oedd yn dianc neu'n ymosod – roedden nhw'n rhwystrau i'w croesi.

Roedd rhai o'r gwrthryfelwyr, o dan arweiniad Rhingyll Matu wedi treiddio ymhell i mewn i'r wlad i ymgynnull â'r Llewpart a phrif fyddin rebel y Kibu. Doedd eu hymosodiadau guerilla *ar batrolwyr y llywodraeth a'u cuddymosodiadau ar y fintai yn ddim mwy na mân bigiadau chwannen — ond erbyn hyn, roedd y fyddin yn ymrestru er mwyn dechrau'r ymgyrch fawr. Negeseuon radio, mân siarad yn y pentrefi, taflenni ar y ffyrdd, roedd y cwbl yn esbonio beth oedd yn rhaid i'r sgwadiau ei wneud, mewn côd cyfrinachol. Anelwch tua'r gogledd. Ymgynullwch. Fel yna y treuliwyd dyddiau ar droed, yn gwthio drwy gytiau to gwellt mewn pentrefi pellennig; cuddio mewn marchnadoedd a threfi bychain wrth i lorïau'r llywodraeth basio heibio gan saethu. Gan fod awr fawr y rebeliaid ar ddod.*

Ac roedd popeth yn mynd yn dda — hyd nes i ryw fradwr neu garcharor gael ei arteithio a datgelu rhyw ddarn o'r gwir neu rywbeth na ddylai o fod wedi'i ddweud, ac fe ddisgynnodd platŵn y llywodraeth ar gynffon dynion Rhingyll Matu — tracwyr penigamp â hofrenyddion cymorth a phopeth. Daeth rotor i fflatio'r bambŵ, a bu'n rhaid i Kaninda neidio oddi ar y trac a suddo'i gorff i sianel gul yr Uebe, at ei wddf: achub ei hun, ond colli'r gweddill, a lwc dda oedd hynny hefyd gan fod y lladd wedi bod yn gyflym gyda hen ddigon o fwledi'n sbâr, ac ni chyrhaeddodd Rhingyll Matu ei rendezvous *— nid yn y byd hwn beth bynnag. Ond drwy gymryd siawns yn erbyn y crocodeiliaid a nofio'r afon, cymerodd Kaninda'r*

13

tro anghywir, at yr haul yn hytrach nac oddi wrtho, a
thrwy fynd drwy un pentref yn ormod, cafodd ei hun yn
nwylo achubol y Groes Goch. Dim gwn. Dim bwledi.
Dim stori, heblaw am y celwydd ei fod, ar ôl y saethu yn
ei gartref, wedi crwydro a chrwydro'n ddryslyd a'i gadw'i
hun rhag llwgu drwy ddwyn. Ac yn y cyfamser, roedd y
twll yn ei fraich wedi gwella.

Na, nid oedd eisiau bod yma. Nid yn Llundain, nid
ger y tŷ hwn lle'r oedd y bws yn aros, lle'r oedd y
Mrs Capten Betty Rose hon yn edrych ar yr adeilad
ac yn datgan 'Haleliwia!' arall.

Roedd y lle'n ddigon tebyg i bob lle arall roedd
wedi'i basio ar y ffordd o'r maes awyr. Roedd o'n dŷ
wedi'i gysylltu â'r tai i'r ddwy ochr, ac yn ddau
lawr fel adeiladau canol dinas Lasai. Ac roedd o'n
ddi-liw, yn llwyd, yn salw ac yn perthyn i fyd hollol
wahanol i ryfel Kaninda. Nid bod ei gartref o wedi
bod yn un gwledig: plot rhif 14, Ffordd Bulanda, un
llawr, wedi'i beintio'n wyn gyda'r metr cyntaf yn
lliw oren fel pridd, i rwystro'r dafnau glaw trwm
rhag taflu staeniau mwd ar hyd y waliau: paent
sment yn llachar yn yr haul; nes iddo gael ei droi'n
llachar-farwol â gwaed yn sydyn, lle saethwyd y
geifr a'r cŵn.

Daethant allan o'r bws. Roedd dyn y Capten Rose
yn mynd ymlaen i rywle arall efo'r bobl oedd wedi
bod ar y daith gyda nhw: dwy ffoadures ffôl, nad
oedd wedi dweud gair ers Bikoto, a bachgen iau na

Kaninda. Nid oedd angen geiriau arno rŵan, beth bynnag, wrth i Kaninda ddilyn y lleill i mewn i'r tŷ. Ac nid oedd ganddo ddim i'w gario gan nad oedd o'n berchen ar ddim. Dim ond fo'i hun, ac roedd hynny'n ormod.

Llusgodd ei hun i mewn, ar hyd llwybr cul, lle dechreuodd y merched edrych o'u cwmpas fel pe bai'n amser archwiliad. Safodd yn betrus, dim ond jest dros y rhiniog, yn teimlo fel rhedeg at y wal o'i flaen â'i ben yn gyntaf, a chwalu ei hun i mewn i'r byd nesaf.

'Tyrd,' meddai'r ferch. 'Mae dy 'stafell di i fyny fan'ma.'

Dilynodd Kaninda, gan edrych ar ei esgidiau wrth i'w draed deimlo meddalwch yr holl flewiach ar y llawr.

'Carped,' meddai hithau. 'Ydi hwn yn beth newydd i ti?'

A beth petai o? Oedd, roedd o'n beth newydd; wedi wythnosau o ffyrdd baw, ffyrdd gwlyb, glaswellt, mwd, y llawr concrit cyntaf iddo gamu arno oedd llawr y maes awyr; y cyntaf o dan ei draed ers y noson waedlyd gartref...

'Dyma ti. A, rhag ofn 'bo ti isio gwybod, Laura ydw i.' Agorodd y ferch ddrws ystafell ger pen y grisiau. 'Mae'r bathrwm yn fan'cw.'

Aeth Kaninda ymlaen heibio iddi ac i mewn i'w ystafell.

'Gobeithio gwnei di licio bod yma. Y byddi di'n hapus.'

Caeodd y drws yn glep.

Prin ddau funud wedyn, roedd y drws wedi'i agor eto – dim ond digon o amser i syllu allan o'r ffenestr.

'Felly, Kaninda, sut wyt ti'n hoffi dy 'stafell? Reit gyfforddus, yntydi?' Roedd y ddynes wedi dod i mewn ar ei hunion. Fe fyddai hyd yn oed ei fam ei hun yn galw, 'Dwi'n dod i mewn!'

'Mae gen ti'r cwpwrdd yma i hongian dy ddillad, a hwn ar gyfer dy ddillad isa a sanau, ac yma wrth dy wely di mae Beibl. Ac mae'r bathrŵm—'

'Wedi'i weld o.'

'Da iawn.' Safodd uwch ei ben gan lenwi'r holl ofod rhyngddo a'r drws. 'Rŵan, rhaid i ni setlo beth wyt ti'n mynd i'n galw ni...'

Trodd Kaninda i ffwrdd gan edrych allan o'r ffenestr; ei chau hi allan. Dros ben y toeau ac yn y bylchau rhyngddynt, gallai weld afon.

'Mi wna i roi dewis i ti. "Cap'n Rose" ydw i. "Anti Betty", neu "*Tante* Betty", mae ambell un yn y teulu'n fy ngalw fi. Neu, mae'n iawn efo fi – hoffwn i – bendith yr Arglwydd – os cawn ni ganiatâd y Gwas-anaethau Cymdeithasol a'r barnwr – petaet ti'n dewis fy ngalw fi fel mae Laura'n ei wneud.' Oedodd am hir, ac anadlu'n ddi-baid. 'Sef: Mam.'

Eto, dim ond yr anadlu, a Kaninda'n dal i edrych i gyfeiriad yr afon a chyrn llong.

'E? Be' ti'n feddwl?'

Rhywsut cadwodd y pin yn ei grenâd, a meddwl am orchmynion Rhingyll Matu – y gorchmynion y bu'n ufuddhau iddynt ers iddo'i gael ei hun yn nwylo'r Groes Goch. *'Os cewch eich cipio, gorweddwch i lawr yn ufudd fel ci, arhoswch am eich cyfle, a phan ddaw hwnnw, rhedwch! Rhedwch! Ydych chi'n deall?'*

'Wel, fe ddaw rhywbeth. "Mae amynedd yn boen, ond mae'n talu." Mae Peter wedi rhoi 'chydig o bethau yn dy wardrob di. Cymer olwg. Wedyn, mi gawn ni frecwast llawn, Prydeinig. Mi ofynna i i Laura dy alw di.'

Fe aeth hi, ac arhosodd Kaninda, ei lygaid yn sownd yn yr afon. *Glynwch at rywbeth y tu allan i'r gell.* Roedd ganddo ddealltwriaeth weddol o ddaearyddiaeth ar ôl gwneud Astudiaethau Cymdeithasol yn yr ysgol. Gwyddai fod pob afon yn y byd yn uno â phob môr; a bod dŵr pob môr yn uno â phob glan ym mhob gwlad. Ac felly roedd Dwyrain Affrica, hefyd, wedi'i uno â'r môr ar hyd y traethau gwyn a'r porthladdoedd lle mae siwgr a choffi'n cael eu hanfon i ffwrdd.

Gan nad oedd o'n aderyn, nid oedd modd ei uno â'i gartref drwy hedfan, fel yr awyren a'i cludodd yno. Ond y môr, roedd hynny'n wahanol. Llongau, cychod, gallai'r rheiny uno pethau.

Edrychodd i lawr ar ei freichiau esgyrnog. Roedd wedi dechrau edrych fel bachgen ffarm, craith y twll wedi mynd yn farw ei liw. A gofynnodd iddo'i hun, a fyddai'n medru bwyta digon o fwyd y ddynes hon i rwyfo hanner ffordd rownd y byd? Oherwydd, os oedd casineb a dicter yn gryfder, gallai, fe allai lwyddo, o fewn trwch blewyn.

Ochr arall i wal y bathrwm, roedd Laura'n tynnu ei hiwnifform Milwyr Duw, nid fod unrhyw un yn Heathrow wedi sylwi'i bod wedi dangos baner Crist iddyn nhw. *Hale-blydi-liwia!*

Edrychodd arni'i hun yn y drych, yr hi-o-dan-ei-dillad. Roedd hi'n welw, mwy o wyn ei thad ynddi nag aur Seychelles ei mam, ac o ystyried mai tair ar ddeg oedd hi, roedd ei ffigwr yn un go dda.

'Laura!'

Taflodd ei nicers du y tu ôl i'r gwely cyn i'r drws gael ei wthio ar agor yn rymus. 'Ie?'

'Galwa Kaninda i frecwast, wnei di?'

Tynnodd wyneb yn y drych. *Kaninda!* Roedd hi'n mynd i ddymuno bod sŵn yr enw yna'n bell iawn i ffwrdd wrth iddi dyfu'n hŷn. Fel enw Milwyr Duw. Roedd mwy o'i le efo bywyd nag oedd yn ei le, a dyna'r gwir.

Ond i ffwrdd â hi, gan gnocio ar ddrws y bachgen, heb ddisgwyl, ac yn sicr heb dderbyn, unrhyw ateb.

PENNOD DAU

I bawb yn yr ardal, tipyn o gymêr oedd Theo Julien. Byddai o'n medru plygu'r criw yn eu dyblau gan chwerthin, gallai godi gwên ar wyneb y Glas, a pheri i fwrsar yr ysgol giglo hyd yn oed. Ac yn union fel cawr stand-yp sy'n gartrefol ar lwyfan tafarn, ei ofod o oedd y Parêd ar Ystâd Barrier.

Ystâd Barrier – milltir i lawr yr afon o'r Thames Barrier, a'r Parêd – darn wedi'i balmentu yng nghanol fflatiau, tair ochr o adeiladau ac un yn wynebu'r afon drwy'r rheilins. Man cerdded, maes parcio, lôn cariadon, lle gwerthu cyffuriau, cartref Criw'r Barrier, popeth i bawb, dyma lle'r oedd bywyd yn digwydd. A phrin y byddai Theo heb gynulleidfa, hyd yn oed os nad oedd ond gwylanod yno.

Prynhawn Sadwrn oedd hi ac roedd ei frawd mawr Mal yn gweithio ar Ford Escort roedd o wedi cael gafael arno o rywle. O leiaf, roedd Lydia, ei gariad yn gweithio arno, ac yntau'n dal y bag tŵls ac yn ymbalfalu am yr offer yr oedd hi'n gweiddi amdano. Dwy law chwith, dyna Mal. Ac roedd

Theo'n gwneud ei beth ei hun: eistedd ar wal – stribed byw o graffiti – yn cynnal *cabaret* ar gyfer y plant fyddai'n sefyllian o gwmpas yno, *wannabies* y Criw.

'Eisio cael ei ddwylo ar Rover oedd o, ond fod y boi oedd bia hwnnw'n dal i eistedd ynddo fo.'

Ymatebodd Mal. 'Fy nghar *i* 'di hwn. Cau dy geg!'

'Roedd y boi oedd bia hwn *isio* i rywun ei ddwyn o. Ford Escort! *Rîli cŵl.*'

Chwarddodd y plant, a fflicodd Sharon – yr hynaf – ei llaw i ddweud, 'dim gobaith!'

''Nes i'm dwyn dim byd!' meddai Mal, 'car *fi* 'dio, yn gyfreithlon: be ti'n ddeud wrth bawb?'

Daeth Lydia allan o dan y car. ''Na ddigon o siarad rwtsh, y ddau ohonoch chi. Tynnwch y platiau i ffwrdd,' gorchmynnodd. 'Triwch wneud eich hunain yn ddefnyddiol.'

'Yli, mae hi'n gwneud *ringer* ohono fo.'

'Ding dong!' meddai Sharon.

''Da ni'n ei 'neud o'i fyny. 'I *lanhau o.* Dw'i 'm isio limo coch sgleiniog efo ôl bysedd arno fo ym mhobman. Dwi am stripio hynny i ffwrdd a'i beintio fo'n lliw arall.'

Daeth Theo i lawr o ben y wal. 'Dylet ti gadw'r platiau a swopio'r car, Lyd!' Ond wrth i Mal dynnu'r platiau oddi ar flaen y car, aeth Theo ati'n ufudd i dynnu'r rhai cefn. Wedyn, aeth at yr afon a phoeri, gan wylio'r fflec yn nofio i lawr yr afon wedyn.

Edrychodd dros haen wastad y dŵr at burfa Tate & Lyle, lle roedd cargo llong yn cael ei sugno ohoni, tra bo llong garthu yn clirio'r silt i greu sianel ddofn; roedd clanc y peth fel rhyw fath o dôn ar gyfer de Llundain. Pan fyddai'r sŵn yn tewi, byddai pobl yn meddwl eu bod nhw'n byw yn rhywle arall. Am ychydig.

Ond nid felly roedd hi i Theo. Ar ôl i'w dad ddiflannu y flwyddyn flaenorol – heb feddwl hyd yn oed am roi blodyn ar fedd mam Theo – aeth Theo i fyw gyda'i frawd mawr, Mal, a dechrau ymddwyn fel pe bai'n gwybod lle yn union yr oedd o bob munud o'r dydd. Dyna sut y mae ffoaduriaid – wastad yn chwilio am gyfle i beidio â bod o dan adain rhywun.

Ond pwy oedd yn dawnsio drwy'r bolardiau tuag at Theo gyda gwên fel golau car trwy niwl?

'Laura! Haia Lor?!'

Doedd 'na'r un enaid byw arall o gwmpas. Roedd Mal a Lyd wedi mynd am damaid i fwyta, ac roedd Sharon a'r plant wedi dilyn eu trwynau i rywle arall.

'Haia!' Edrychodd Laura arno wrth iddo symud yn aflonydd. 'Gad i mi deimlo'r awel!'

'Be sy?' Trodd Theo gyda hi i bwyso ar y rheilen, gan sugno aer halen sur afon Tafwys.

'Mae o wedi cyrraedd!'

'Iesu? O'r diwedd?'

'Nage! A phaid â chablu. Yr hogyn o Lasai. Kaninda.'

'Kan-in-dah! Pam, be 'di'r broblem?'

'Dim.' Cododd Laura ei hysgwyddau. 'A phob dim.'

'O! Ydw i i fod i ddeall hynna?'

'Wel, mae o'n... Dwn i'm...' Rhoddodd ei braich drwy ei fraich o; fyddai hi ddim wedi gwneud y fath beth yn ei stryd ei hun ond i lawr yn y fan yma, roedd hi ddwy brif ffordd o'i chartref a doedd neb yn edrych.

''W'th gwrs, falle fod o'n ddim byd i'w wneud â fo o gwbl. Falle mai fi ydio.'

'*Falle!* Rhaid bod. Lor, ti 'di llyncu diawl o ful mawr dyddie 'ma!'

'Wel...' Nid oedd Laura'n barod i drafod y peth. Sut oedd rhannu'r ffaith ei bod wedi cweryla â Duw, a bod ganddi awydd mynd yn erbyn popeth roedd ei rhieni'n ei gynrychioli? Nid oedd hyn fel pendroni ar gyflwr gwallt Miss Rivers neu staeniau Mr Cheff.

Gollyngodd Theo ei braich a throi i'w hwynebu'n sgwâr. 'Paris 'ta Atlanta?'

'*Be?*'

'Wel, ti'n actio fel bo ti'n mynd i farw, felly i ba Disneyland wyt ti isio mynd?'

Ysgydwodd Laura ei phen ar ei hiwmor dichwaeth.

'Rwyt ti angen *rush* o ryw fath, hogan. A dwi ddim yn golygu 'reu' na 'trip.' Rhyw chwyrligwganpen Nintendo rwyt ti isio. Neu, dwi'n deud rŵan, mi fyddi di wedi troi'n hen beth surbwch!'

Pan fyddwch chi wedi mynd mor bell â gwneud ffrindiau efo rhywun sydd wedi'i wahardd rhag bod yn aelod o'r Milwyr Bychain gan eich mam eich hun, rhaid chwarae ei gêm yn llwyr – neu fel arall, beth yw diben gwneud yn y lle cyntaf?

'Felly, beth sydd gen ti ar dy feddwl?' Roedd hi am wybod. 'Rhedeg y Barrier?'

Rhedeg y Barrier oedd y prawf. Gwyddai Laura, os oedd hi am fod yn rhan o'r Criw – statws go iawn – fod yn rhaid rhedeg ar hyd rheilen yr afon pan oedd y llanw'n isel, camu'n gyflym dros dri deg chwech nobyn glas crwn, gyda chwymp o dri deg troedfedd i'r llain traeth oddi tano. Ac roedd yn rhaid rhedeg can metr o daith mewn llai na hanner munud. Roedd Theo i mewn, ond nid oedd Laura wedi meiddio; nac ychwaith wedi ymarfer tra bo'r llanw'n uchel hyd yn oed.

'Na. Rhywbeth ychydig yn wahanol...'

Trodd y ddau eu cefnau ar yr afon – y clanc clanc, yr awel o'r dŵr, yr oglau a llamu'r llanw dros risiau'r lanfa. Mis Ebrill oedd hi, heb ei oerni, a phan oedd yr haul ar Ystâd Barrier, roedd yn edrych fel lle go lew i fyw.

Ac edrychai'n well na Ffordd Wilson ar hyn o bryd, meddyliai Laura, gyda'r Kaninda diflas yna yn ei ystafell a'i thad yn cael llond ei fol o stori gwaith da Duw yn Lasai. Dim ond Theo gwallgo oedd yn ei chadw'n gall y dyddiau hyn: y Theo hollol honco a gynrychiolai bopeth nad oedd ei mam yn ei hoffi.

'Ti isio bod yn ddiawl bach, bob hyn a hyn, 'dwyt! Torri ti dy hun yn rhydd, allan o'r croen sanctaidd yna! Bod ychydig yn *sool*.'

'*Sool*?'

'*Grabbin*'. Cydio yn dy fywyd wrth ei goler. *Sool*.'

'Ti'n meddwl?'

Crwydrodd y ddau wysg eu hochrau, gan gamu ar fodiau'i gilydd, draw at lle'r oedd yr Escort, yn adlewyrchu'r haul oddi ar ei foned, yn sefyll mewn llysnafedd trochion sebon.

'Cerbyd Mal.'

'Ie?' Anaml y byddai Laura'n dotio efo plastic, metel a rwber. Ond er mwyn cael rhywbeth i'w wneud, dangosodd ddiddordeb yn y car, a phlygu i edrych beth oedd o dan y forden flaen gan mai dyna beth mae pobl yn ei wneud. 'Ydi'r allweddi 'ma i fod i mewn yn y fan'ma?'

'Chware teg i'r hen Mal! Pen-rwdan!'

Trodd Laura i ffwrdd; roedd hi wedi edrych ac felly wedi gwneud ei dyletswydd. Ond nid oedd hynny'n ddigon i Theo.

'Beth am eistedd ynddo fo,' meddai. Edrychodd i fyny ar y balconïau, ac i lawr eto. 'Ychydig yn fwy preifat...'

Os oeddech chi'n cael eich anfon am becyn o siwgr, roeddech chi'n mynd ar eich union – os oedd gennych chi fam fel mam Dolly Hedges. Roeddech yn ei roi o ar y llechen, heb dalu, ac roeddech chi'n rhoi'r siwgr ar fwrdd y gegin cyn i'r tegell ferwi. A *watch out babe* fyddai hi, petaech chi'n gadael i unrhyw enaid byw ddod rhyngoch chi a'r neges.

Ond dyna lle'r oedd Queen Max: Maxine Bendix anferth. Hi oedd yn rhedeg strydoedd lleol y Rope-yard, ac os oedd hi am gael gair â chi, doeddech chi ddim yn ei hosgoi.

'Dolly fach!'

'Be...?'

Roedd Max wedi gwisgo i fyny: gwallt yn uchel mewn twffyn, fest oren dynn, yn freichiau i gyd, tatŵ aderyn glas ar ei hysgwydd. Roedd hi'n aros am rywun, does bosib mai am Dolly; nid oedd y ferch fach, hyd yn oed, yn gwybod ei bod hi'n mynd i fod yn pasio.

'I ble ti'n mynd?'

'Siop.'

Ceisiodd Dolly fynd heibio i Max ar y palmant ond gyda'r coesau hirion yna'n sticio allan o le'r oedd hi'n eistedd ar wal isel, byddai Dolly wedi gorfod mynd i mewn i'r ffordd er mwyn pasio.

'Be ti'n ei nôl?'

'Siwgr.'

'Ti'n talu?'

'Nacdw.'

'Nôl Twix i fi, 'lly.'

Twix; nid cais ond gorchymyn. Dim byd anghyf-reithlon, dim ffags, dim cwrw, ond fe fyddai'n rhaid iddo gael ei nodi yn y llyfrau yn enw Rene Hedges, a phetai Rene Hedges yn sylwi arno, fe fyddai'n edrych fel bod Dolly'n ei thwyllo.

Er hynny, fyddai neb yn dweud 'na' wrth Maxine Bendix.

'Mi drïa i.'

Tynnodd Max ei choesau hir yn ôl ati; ond ciciodd un allan eto ar y funud olaf, a chodi Dolly i'r awyr wrth gesail ei morddwyd, gydag un bŵt wrth iddi basio, 'Tria dy ore' glas. Yma fydda i!'

'Ie.'

Cafodd Dolly ei rhyddhau, a gwibiodd ymaith tua Patel's News, ond gyda'i llygaid yn edrych i bob cyfeiriad fel petai hi'n ceisio cynllunio ffyrdd eraill o fynd adref.

'Car tila!' Roedd Theo yn eistedd yn sêt y gyrrwr fel cwsmer mewn arddangosfa ceir. 'Meddylia, *Ford Escort!*'

Nid oedd gan Laura ronyn o ddiddordeb. Wir. 'Car ydi o. Os ydi o'n mynd, mae o'n mynd. Cludo rhywun o A i B. Os nad ydi o, llwyth o dun ydi o fel unrhyw lwyth arall o dun.'

Ysgydwodd Theo ei ben. 'Mi gymra' i Dornado sydd *ddim* yn mynd unrhyw ddydd, yn lle Ford Escort sydd *yn* mynd.'

'I be? I edrych arno fo?'

'I ddychmygu fi'n hun ynddo fo. Ti'n gweld, pan wyt ti mewn Tornado, mae dy freichiau di allan, wedi'u stretsio fel 'ma, fel Indianapolis Pum Mil yn rasio, ac rwyt ti reit i lawr yn fan'ma—' llithrodd ei ben ôl ymlaen, gan osod ei hun yn is fyth nes nad oedd dim ond ei lygaid yn y golwg uwchben y forden flaen; gwnaeth sŵn chwyrnu trwm fel modur.

Gwyliodd Laura fo wrth iddo ddreifio olwyn lyw lac y car ar ryw ffyrdd dychmygol Califforniaidd.

'Raaar... C'mon,' gyrrodd ag un llaw er mwyn gwthio Laura i lawr i'w lefel o – '*Get on the freeway to L.A.*'

'Yn fy mreuddwydion!' A chwaraeodd Laura gêm Theo, llithro i lawr i'w lefel o nes bod eu llygaid yn lefel; gadawodd i'w sgert rolio i fyny, a'i gadael yno.

'Raaaaaar! Route Maribou i'r hen Cayoo!' Roedd Theo wedi llwyr ymgolli yn ei ben ei hun erbyn hyn.

'Be mae hynna'n 'i olygu?'

'Dwn im. Dim. Ond mae o'n swnio'n dda, tydi?' A rhuodd Theo'r car, rhuodd y ddau ohonyn nhw i'r chwith, i'r dde, newid gêr slic yn yr awyr, raa-raa un wythawd yn uwch. Ond, yn hytrach na rhoi'i law yn ôl ar y llyw, newidiodd un gêr arall – i goes Laura, a gosod ei law fymryn uwch na'i phen-glin – a'i gadael yno.

'Raaaar,' yn is yn ei lwnc.

Syllodd Laura arno'n gam. Allech chi ddweud beth oedd yn dod nesaf – un symudiad cyflym ac fe fyddai hi wedi sgubo'i law digywilydd i ffwrdd. No-wê oedd o'n mynd i gael cadw'i law yna. Wel, no-wê oedd ei mam yn mynd i ddychmygu ei milwr bychan, Laura, yn oeri tuag at Milwyr Duw a'i holl waith da... felly ni sgubodd law Theo i ffwrdd, nid ar ei hunion; ni ddywedodd air, ni symudodd, syllodd allan o'r ffenestr i lawr Route Maribou i'r hen Cayoo. Meddyliau rebel.

Ac ymddangosai hyn i gyd yn ormod i Theo; fel bod gadael ei law o yno fel gofyn cwestiwn: beth nesaf?

'Raaaaar.' Ac fel gafr ar d'rannau, bachodd Theo ei law yn ôl o'i choes a'i gosod ar y llyw eto; ac er mwyn bod â rhywbeth i'w wneud, gollyngodd ei law dde tuag at yr allwedd yn y taniwr a thanio'r modur. Go iawn.

'Theo!'

'Mae'n iawn! 'Dan ni ar y Front. Di hi'm yn ffordd gyhoeddus...'

Nid oedd un enaid byw yno i weld; y plant wedi mynd i boenydio rhywun arall. Tynnodd Theo bâr dychmygol o sbectol haul a'u gosod ar ei drwyn, rhoi'r car yn y trydydd gêr, gollwng y clytsh a dreifio'r car mewn llinell grom wrth ochr pafin y Barrier. Ac yn ei hwyliau rebel, ni ddywedodd Laura air, dim ond anadlu'n fân ac yn fuan oherwydd y teimlad o berygl, a gyda'i sgert yn dal wedi'i rholio'n uchel; caniataodd Theo i'w dreifio i ble bynnag y mynnai.

Rhedodd Dolly Hedges o'r siop efo'i siwgr, gan edrych am ffordd glyfar o fynd adref. Dim ond siwgr yn ei llaw; dim Twix. Gwell oedd cael clep gan Queen Max na phwniad gan ei mam.

Darn trist o dde Llundain oedd Ystâd Stryd Rope-yard: ei hanner yn hen dai, yr hanner arall yn fflatiau o'r chwedegau wedi eu hadeiladu ar ben joben tacluso a gychwynnwyd gan Adolf Hitler; siopau â chaeadau dur yn lle ffenestri, tafarndai oedd ddim yn gweini bwyd, cŵn yn rhedeg yn rhydd, a cheir plismyn ond yn dreifio drwy'r lle pan oedd eu goleuadau'n fflachio. A pheidiwch â phoeni meddwl am olwg Duw dros y cwbl; mae'n debycach mai golwg hofrennydd Heddlu'r Metropolitan sydd yno. Pan adeiladwyd Ystâd Barrier gyda llond lle o obaith dinesig, roedd Ropeyard yn strydoedd bach tynn i gyd, tomennydd moel di-laswellt ac wynebau trist – lle'r oedd bar o Twix yn goron ar ddiwrnod rhywun. Prynhawn Sadwrn, rasio ar y bocs, Queen Max yn aros i rywun ddod heibio a chynnig arian parod am ffafr, a'r ferch fach hon yn nôl siwgr i'w adict-te o fam; angen dod o hyd i ffordd o osgoi'r coesau hir yna oedd yn croesi'r palmant, a hynny'n golygu torri ar draws Stryd Ropeyard i'r stryd lle'r oedd hi'n byw.

Un pecyn bychan o siwgr wedi'i wasgu yn ei dwrn, edrychiad i'r chwith, edrychiad i'r dde i chwilio am berygl – nid ar hyd y stryd ond ar hyd y palmant i chwilio am Queen Max a allai gerdded rownd y gornel a'i chipio. Ac roedd y ffordd yn glir am sbel, felly – mynd!

I mewn i ffordd nad oedd yn wag. Un neu ddau bob amser yn mynd fel cath i gythraul yno, a… crac!

Roedd Dolly Hedges mewn pentwr yn y gwter, wrth ymyl chwa o siwgr gwyn fel lludw amlosgfa; a Queen Max yn cyrraedd mewn stêm, ond yn rhy hwyr, rownd y gornel, wedi clywed y sŵn. Syllu ar gar coch wrth iddo wichian i ffwrdd, yna codi'r pen bychan llonydd. A daeth eraill, hefyd, wedi eu tynnu o'u corneli gan y ddamwain.

'Dolly fach.'

'Ast druan.'

'Ydi hi'n iawn?'

'Ydi hi'n edrych yn iawn?' Cofleidiodd Queen Max ben y ferch.

'Ydi hi'n fyw?'

'Dwn im.'

'Be 'di hwn, drosti?'

'Siwgr.'

'Edrych fel côc.'

'Yn dy freuddwydion. Cadwa hi'n llonydd.'

'Oes rhywun 'di galw'r ambiwlans?'

Dechreuodd rhyw foi â ffôn ddeialu 999.

'A gofyn am blismyn hefyd,' meddai Queen Max. *'Hit and run*, dwed, car coch, dim platiau.'

Roedd pawb yn brysur, yn aros i helpu efo'r bwndel o garpiau oedd yn gorwedd yn y gwter.

'Pwy sy'n mynd i ddweud wrth Rene Hedges?' gofynnodd rhywun.

Ond ni wirfoddolodd neb.

PENNOD TRI

Cerddodd Kaninda i ffwrdd oddi wrth y gwaed a'r cyrff wrth i oerfel sioc ei ysgwyd hyd fêr ei esgyrn yng ngwres yr haul. Roedd wedi llenwi'r twll yn ei fraich, gan lapio un o sgarffiau ei fam yn dynn amdano. Cerddodd dros y glaswellt gan simsanu a baglu trwy fwlch yn y gwrych, yn union yr un modd ag y daeth y milwyr i mewn gan fod y giatiau dur wedi'u cloi o hyd, yn hollol ddiwerth. Codai tarth mwg o ganol y ddinas lle'r oedd adeiladau ar dân. Syllodd Kaninda ymlaen drwy lygaid llydan, sych, gan ddal y cameleon marw yn dynn wrth ei fol; anelodd i'r cyfeiriad arall gan mai dyna lle'r oedd y gweddill yn mynd – llinyn o deuluoedd Kibu wedi'u syfrdanu yn cerdded ar y ffordd, eu heiddo ar eu pennau neu wedi'i daflu ar gefn beiciau, yn martsio gyda'i gilydd i ddianc rhag yr Yusulu.

Nid oedd dim ar ôl i Kaninda yn 14 Ffordd Bulunda: dim mam, dim tad, dim chwaer, dim lle i fyw, dim bywyd. Roedd ganddo ddewis: aros yno'n crynu, cerdded o gwmpas mewn cylchoedd, neu sefyll a gweiddi nerth ei ben, sgrechian ar i'r milwyr ddod yn ôl a rhoi bwledi a chyllell ynddo yntau hefyd.

Yn y diwedd, cerdded i ffwrdd oddi wrth y cyrff
wnaeth o; nid oedden nhw'n neb mwyach. Nid oedd eu
hwynebau'n perthyn i bobl yr oedd o'n eu caru, y bobl yr
arferen nhw fod – hyd yn oed Gifty fach, nid hi ei hunan
oedd hi wrth orwedd yno wedi'i phlygu a'i rhwygo ar
ôl iddi daro'r wal a llithro i lawr fel damwain ffordd
ofnadwy. Nid oedd diben rhoi cusan ffarwel iddyn nhw –
ble byddai o wedi gallu gosod ei wefus arnyn nhw? Mater
o fynd, a mynd ar frys oedd hi, gadael i'r cŵn a'r llygod
mawr a'r gwybed wneud gwaith rhaw.

Yn y diwedd, udo wnaeth Kaninda. Â'i ben yn ôl, udo
fel blaidd wedi'i anafu. Ac ni roddodd yr un o'r lleill oedd
yn martsio gydag ef unrhyw sylw i'r udo a'r boen. Roedd
gan bob un ei boen ei hun i'w gludo.

Roedd yr ystafell flaen yn nhŷ teulu Rose fel cocŵn
i Kaninda. Roedd popeth yn feddal ac roedd gan-
ddo awydd crafu'r cwbl â'i ewinedd, brathu'r llawr
gwlanog, y papur moethus ar y waliau, y llenni fel
dillad gwely, y blodau fel plu yn y lle tân, y clustogau
a'r stôl droed llawn sbwng. Roedd y fainc adref wedi'i
gwneud o wialen, ac roedd yntau a Gifty wedi gorfod
eistedd â'u cefnau'n syth ar gadeiriau caled. Roedd
bwrdd ag onglau siarp wedi'i osod yng nghanol yr
ystafell, y waliau wedi'u gwneud o blaster cochlyd,
a matiau tenau fel papur wedi'u gwneud o stribedi
sych o balmwydd ar hyd y llawr concrid. Petai
rhywun yn baglu yn y tŷ, fe fyddai'n cael mwy o

anaf na phe bai'n baglu y tu allan, lle'r oedd glas-wellt a daear goch feddal. Yn yr ystafell hon yn nhŷ'r teulu Rose, fe allai rhywun daflu ei hun o gwmpas fel carcharor yn gwallgofi heb gael unrhyw niwed o gwbl; ond roedd o ar dân eisiau trio.

'Dyma dy gartref di, dos lle mynni rŵan. Gwna'n siŵr dy fod ti'n teimlo'n gartrefol,' roedd Mrs Capten Betty Rose wedi'i orchymyn. 'Rwyt ti wedi dod o bell, wrth gwrs, ond yn aml iawn, y ffordd hir yw'r ffordd adref.' A gadawodd o i'w bethau tra'i bod hi'n adrodd hanes gwaith Duw yn Lasai i'r Is-Gapten. Ond, wrth iddo eistedd a syllu ar lwch mewn pelydryn o haul â'r brychau'n hofran yn hamddenol neu'n disgyn yn fuan, roedd dychymyg Kaninda wedi mynd allan o'r tŷ hwn a draw i lle'r oedd yr afon yn llifo. Y tŷ, Llundain, Lloegr, dyma oedd ei gosb am gael ei ddal; ond roedd ymgyrchoedd gwahanol yn para am gyfnodau gwahanol; rhaid oedd iddo ufuddhau i'r Rhingyll Matu a gorwedd yno'n dawel a chudd, am ychydig.

Roedd Kaninda mor dawel yn ei ystafell fel y gallai'r lle fod wedi bod yn wag, lle saff i Laura lechu wrth ddod i mewn i'r tŷ. Y ffordd i'w hystafell ei hun oedd i fyny'r union risiau yng nghefn y tŷ lle'r oedd ei mam yn pregethu wrth ei thad, ac roedd y drws yn lled agored. Llithrodd i mewn i'r ystafell fyw fel pechadur i mewn i gyffesgell, ac aros am y foment orau i fynd i fyny'r grisiau.

Ond – 'Rwyt ti'n dawel i mewn yn fan'na.'

Cododd Kaninda ei ysgwyddau. Roedd y ferch yn brin o wynt, â golwg ar ei hwyneb fel Gifty ar ôl bod yn sugno siwgr. Y ddiweddar Gifty annwyl, yr wyneb yna roedd Kaninda'n ei weld ym mhob cwsg, ei hunllef ysgytwol. Cododd i fynd allan, i gyrraedd ei wely, unrhyw le ar ei ben ei hun. Ond ni symudodd Laura o'r drws, felly safodd yno a syllu ar ei brest yn anadlu'n ddwfn, yna edrychodd i ffwrdd at y wal. Roedd rhywbeth yn ei phoeni, ond beth oedd hynny iddo fo?

'Ti'n deall be 'di poen, dwyt Kaninda?'

Roedd yn sgrechian ar y tu mewn ond ni ddywedodd air.

'Rwyt ti wedi cael dy rwygo ar y tu mewn.'

Roedd ei geiriau fel petai hi'n gosod ei dwylo arno; ond nid oedd Kaninda eisiau ei dwylo iachâd. Beth wyddai hi am yr hyn roedd o wedi'i golli, beth welodd o, beth oedd o wedi'i *wneud* – a'r hyn roedd o ar dân eisiau ei wneud eto, yr eiliad ar ôl cyrraedd yn ôl adref? Y ffordd hir yw'r ffordd adref. Felly, Mrs Capten Betty Rose, ydi hanner ffordd rownd y byd yn ddigon?

'Dangos yr afon i mi?' Y geiriau cyntaf, fwy neu lai, rhwng Kaninda a Laura. Rhywbeth i'w dorri'n rhydd o'r cocŵn hwn.

'Wyt ti'n gwybod mai fanno dwi newydd fod? Oeddet ti'n fy nilyn i?'

Caeodd Kaninda ei lygaid i ddweud 'na'. Yn hytrach na gwrthod y bachgen, penderfynodd Laura fod hyn yn swnio fel syniad da. Gwaeddodd drwodd i'r ystafell gefn cyn mynd ag o allan o'r tŷ, ei hebrwng yn araf drwy'r strydoedd tuag at yr afon, gan alw ar blant bach ar y ffordd a gwneud sioe o Kaninda.

Tu allan, roedd y ddaear o dan ei draed yn galed. Roedd popeth o'i gwmpas yn slab carreg. Byddai tir y strydoedd yn Lasai yn taflu llwch i'r awyr, ac yn rhoi sbonc i gam rywun. Roedd yr haul wedi colli unrhyw wres oedd wedi bod ganddo, ac roedd diffyg cwsg ar yr awyren yn gwneud camau Kaninda'n drwm bellach; ond roedd wedi arfer â'r haul yn machlud arno wrth iddo fartsio, ac wedi arfer â blinder. Pan oedd targed mewn golwg, roedd popeth arall yn cael ei ohirio hyd nes iddo gael ei daro; ac fe fyddai bob amser yn dal i fynd nes ei fod wedi taro a tharo a tharo. Y targed y tro hwn oedd yr afon, Tafwys: gweld honno oedd ei fwriad. Ond roedd adeiladau caled a llwybrau concrit i fyny at y lan, geiriau a sgriblo wedi'u peintio ym mhobman, barrau haearn hyd ymyl yr afon ac ar y grisiau i lawr at y dŵr, dim ond ambell chwynnyn o goeden yn tyfu o'r brics oedd yn wyrdd – nid oedd afon Tafwys unrhyw beth tebyg i'r Uebe. Dŵr oedd yno, eto – rhan o afonydd a moroedd y byd sydd wedi'u huno, rhywsut â Lasai. Roedd hynny'n obaith, a'r hyn oedd arno ei angen, ynghanol ei gasineb a'i ddicter, oedd gobaith.

'Y bwncath mawr, lle mae'r platiau?'

Roedd sŵn a ffỳs yno fel petai sbectol rhywun yn cael ei dwyn gan blant y stryd. Gwaeddai dynes ar ryw ddyn a oedd yn edrych fel petai wedi gadael y geifr i ddifa'r ffa. Du oedd y ddau, hithau wedi'i gwisgo fel dyn mewn tracsiwt lwyd, yn edrych fel petai hi'n medru gwneud niwed iddo, petai hi'n dewis gwneud hynny. Roedd o hefyd yn edrych fel petai'n credu hynny, gan ei fod yn gwneud yn siŵr fod car coch rhyngddo fo a hithau wrth iddi hi ddod ato, o bob cyfeiriad.

'Dwi'm yn gw'bod nac 'dw? Mi rois i nhw ar y wal yna, wir yr.'

Ond ar y wal, roedd bachgen yn cadw'n ddigon pell o'r ffrae. Cododd i ddangos nad oedd dim o dan ei ben-ôl ond concrit.

'Dwi'n cymryd fod y platiau yna wedi mynd am dro ar eu pennau eu hunain felly? I ffeindio car arall!'

Edrychodd y bachgen oedd ar y wal ar Laura, hanner codi ei law a dweud, 'Haia,' mewn llais gwan.

Camodd Laura i mewn i'r sgwrs. 'Malcom, Lydia, dyma Kaninda. Mae o'n byw efo ni. O Lasai.' Roedd fel petai hi'n ceisio diffodd y tân oedd yn meddiannu'r ddau.

'Dwyt ti ddim wedi gweld y platiau, naddo?'
gofynnodd y ddynes i'r ddau.

Ysgydwodd Laura ei phen. Edrychodd Kaninda
ar y ddau ofod gwag ar flaen a chefn y car lle dylent
fod. Roedd platiau rhif yn bradychu unrhyw gar.
Roedd y bechgyn yn Lasai yn gwybod pa rai oedd
werth arian, pa rai oedd ar gar y llywodraeth – y
rhai oedd yn dechrau â G – felly doedd dim diben
dwyn y rhai hynny neu cael eu herlid a'u saethu
fyddai eu hanes, yn siŵr. Nid oedd y milwyr yn
trafferthu â'r lleill.

'Theo...'

'Laura, ti'n iawn?' Llithrodd y bachgen i lawr o'r
wal. 'Ers sbel.'

'Dwi'n iawn, diolch. Dyma—'

'Fe ddwedaist ti. Ti'n iawn, Ken?'

Eisiau'r afon roedd Kaninda, dim ond edrych arni
er mwyn tawelu ei ysbryd, gwneud yn siŵr mai
dŵr *oedd* hi, nid rhithlun.

'Iesu, Mal, mae'n *boeth*!' Roedd y ddynes mewn
tracsiwt wedi pwyso ar fonet y car. 'Mae'r modur
yma'n boeth. Wyt ti wedi bod yn ei redeg o?'

Rŵan, ymunodd y dyn Mal yma â'r ffrae. 'Nid ers
i mi ddod a fo yma, bore 'ma. Mae rhywun 'di bod
ynddo fo!'

'Am fod rhywun 'di gadael yr allweddi stiwpid
yn y car!' Cipiodd nhw o'r taniwr. 'Mi wna'i 'u bwyta
nhw!' ond yn hytrach na'u stwffio nhw i'w cheg,

stwffiodd nhw i'w phoced. 'Oes gen ti unrhyw sens o gwbl, Mal Julien?'

'Na.' Ond ysgwyd ei ben i ateb cwestiwn dau funud yn ôl yr oedd o. 'Theo, wyt ti'n gwybod unrhyw beth am hyn?'

'Na, *man*. No-wê. Dwi wedi bod am dro ar hyd y Front, fi.' Ond roedd golwg ar wyneb y boi fel dyn oedd newydd ddwyn dogn rhywun arall, dyn fyddai'n cael teimlo bôn reiffl ar ei war petai'n dweud y gwir. 'Roedd 'na blant o gwmpas, ond do'n i'm yn gwbod bo ti 'di gadael yr allweddi i mewn...' Yn sydyn, rhoddodd *whoop* uchel fel ei fod wedi'i daro gan ddigrifwch y peth. 'Mae'n rhaid bo' ti 'di cynnig diawl o swper poeth iddo fo, Lyd, i wneud iddo fo adael ei blatiau ar y wal a'i allweddi yn y car. Rhywbeth sbesh!'

'*Ein* platiau! *Ein* platiau! A beth gafodd o oedd pryd oer, nid pryd o dafod fel cei di...' A rhedodd y ddynes at Theo.

Ond roedd Theo wedi'i heglu hi beth bynnag, fel antelop Waterbuck i fyny'r afon, a Laura'n dilyn, felly dilyn hefyd wnaeth Kaninda. Ar ôl i'r ddynes roi'r gorau iddi, arhosodd y tri ger y gynnau mawr addurn ac edrych yn ôl i'w gweld yn bacio'r car i mewn i'r garej dan glo; ond roedd Theo a Laura'n gwneud dim byd ond edrych ar ei gilydd.

Gadawodd Kaninda'r ddau i'w cyfrinach, beth bynnag oedd hynny. Trodd i ffwrdd, trodd at yr afon.

Roedd ochr arall yr afon yn debycach i'r hyn roedd wedi arfer ei weld ym Mhorthladd Lasai; adeiladau ar lan yr afon, gyda phibelli'n pwyntio i'r awyr a chasgenni anferth crwn. Ond nid oedd ganddo ddiddordeb yn hynny oherwydd rhwng y fan yma a'r fan acw, roedd dŵr, y dŵr esmwyth, yn gorwedd ar yr un lefel ym mhobman ledled y byd. Fel ffordd, ei *gyswllt*, ei ddolen â chartref. Ac yn sydyn, teimlai'n bell iawn oddi cartref, mor drist ac wedi'i gorddi tu mewn; gymaint, fel y byddai wedi crio pe bai pob deigryn ynddo fo heb sychu'n lân ymhell yn ôl. Wedi sychu o euogrwydd pur ei fod yn dal yn fyw.

Gorweddai Dolly Hedges fel aberth. Nid yw gwlâu Gofal Dwys yr ysbyty wedi'u cynllunio ar gyfer cysgu ond er mwyn i'r doctoriaid weithio ar gorff rhywun ar uchder addas: uchel, gyda lle o dan y fatras i'r silindrau ocsigen a photeli draeniad, a'r holl offer achub bywyd yna. Ac nid yw pobl yn edrych yn gysurus yn yr adran Gofal Dwys: nid cysur yw'r bwriad. Nid eistedd y bydd ymwelwyr, ond sefyll, gan lamu o ffordd unrhyw beth hanfodol sy'n digwydd.

Roedd Rene Hedges yno gyda thri chwpan polysteirîn yn llawn o de melys; ei llygaid wedi suddo, modrwy yn ei thrwyn. Gwyliai bob un anadliad gwan a ddoi allan o'r ferch fach fel petai'n eu cyfrif. Roedd plismones yn loetran un neu ddau gam y tu ôl iddi, a Queen Max yn cael gair gyda hi.

'Car coch. Welais i ddim platiau.'

'Welest ti ddim platiau neu doedd 'na ddim?'

'Welais i ddim.' Edrychodd Max ar y ferch lonydd ac yn ôl at lyfr nodiadau'r blismones. 'Na, peidiwch ag ysgrifennu hynna. Doedd dim platiau. Achos dwi wastad yn edrych ar blatiau. Mi allwch chi ddweud lot am bobl wrth 'u platiau.'

'Pa bobl?'

Syllodd Max ar y blismones. 'Pobl. Llythrennau ponsi. Llythrennau cynta' enw'r boi sy' bia fo. Ond fe ddwedodd hi rywbeth...'

'Y ferch?'

'Ie, hon. Dolly fach. Pan oeddwn i'n gwybod ei bod hi'n fyw.'

'A beth ddwedodd hi.'

'"Gwyn" meddai hi. Ie, dyna oedd o.'

'"Gwyn"?'

'Beth wyt ti'n meddwl oedd hi'n trio'i ddweud? Gan mai car coch oedd o?'

'Gofynnwch iddi hi ar ôl iddi ddeffro. Dwi'm yn gwybod, nac ydw?'

Cytunodd y blismones, cau ei llyfr, a sibrwd eto, 'Diolch am dy gymorth.'

'Ie.'

Stopiodd Rene nyrs oedd yn gadael gyda stribyn hir o bapur wedi'i brintio. 'Mae hi'n mynd i ddeffro, tydi, *mêt*?'

Gwenodd y nyrs gan chwifio'r stribyn o bapur. 'Bydd yn rhaid i ni astudio hwn i gyd, cael pelydr-X yn ôl. Ond mae hi'n dal ei thir am y tro.'

Edrychodd Rene at Dolly eto, gan ysgwyd ei phen. 'Y fuwch drwsgl—' yn y llais mwyaf tyner ac addfwyn. 'Dim ond am becyn o siwgr i mi...' Edrychodd dros ei hysgwydd at y blismones. 'Ond be dwi'm yn ei ddeall ydi pam ei bod hi'n croesi yn fan'na. Nid y ffordd yna fyddai hi'n mynd. Fel sa' hi'n trio osgoi rhywun...'

'Fe gaiff hi esbonio. Ac fe gawn ni hyd i'r car, Rene. Rhyw *joyrider*. Fe gawn ni wybod os oes car wedi cael ei ladrata...'

'Gwnewch chi hynny.'

Roedd Queen Max wedi bod yn edrych i'r cyfeiriad arall. Rŵan, torrodd ar draws a gosod llaw ar ysgwydd y blismones. 'Gwna ffafr â fi mêt, paid â'i ffeindio fo cyn i mi wneud. Tydi dy fyddin di ddim cystal ag un fi!' Ac i ffwrdd â hi o'r adran Gofal Dwys, yn bendant ar ei ffordd i *rywle*.

PENNOD PEDWAR

Dydd Sul oedd diwrnod Milwyr Duw o fore gwyn tan nos: yn union fel roedd dydd Llun yn ddiwrnod Milwyr Bychain Duw, dydd Iau'n ddiwrnod ymarfer band Clychau Arian y Milwyr, a dydd Sadwrn naill ai'n gyfle i Filwyr Duw fynd o amgylch y siopau yn casglu dillad neu brintio rhaglenni ar gyfer cyfarfodydd Milwyr Duw fore dydd Sul. Yna roedd hi'n ddydd Sul eto.

'*Dyrchafer enw Iesu cu gan seintiau is y nen,*
A holl aneirif luoedd nef...'
THYMP!
Ni fyddai un enaid byw yn colli'i le tra bo Laura ar y drwm bas. Fe fyddai cloeau Chubb pencadlys Milwyr Duw yn Stryd Clara yn ysgwyd wrth i Gapten Betty wgu i lawr at Laura yn y band. *Gormod!*

Ond fe allai Laura gadw curiad y band yn ei chwsg, ac nid oedd ei meddwl gyda nhw'r bore hwn.

'*Coronwch Ef!*' THYMP.
'*Coronwch Ef!*' THYMP.

'Cor-ooo-nwch Ef!' THYMP

'Coronwch Ef yn ben!!' THYMP THYMP

Roedd Laura'n ail-fyw eiliadau terfynol y digwyddiad ddoe. Roedd y peth yn chwarae drosodd a throsodd yn ei chof fel pe na bai hi byth yn mynd i allu symud ymlaen, byth yn mynd i allu tyfu'n hŷn. Mewn hanner can mlynedd, byddai hi'n dal wedi'i gwreiddio'n gadarn yn ddoe.

'Mae'n hawdd hogan – os wyt ti'n medru mynd ar y ceir-bwmpo, mi fedri di ddreifio un o'r babis hyn hefyd. Pwysa i lawr ar y pedal 'na, a stampia i lawr ar y pedal arall yna os oes rhaid i ti daflu'r brêc ar hast...'

'Hwn?'

'Ie, yn union! Route Maribou i'r hen Cayoo rŵan!'

'Felly, molwn di, Arglwydd, am ein hanfon i Lasai, gyda'r llygaid i weld yr hyn a welsom, a'r gallu i ddod â'r plant bach anhapus yna allan...'

'Molwn di!'

Ac roedd popeth wedi mynd yn ocê i'r ferch yma oedd wedi cael llond bol o ffydd ddall a moliant uchel – wrth iddi eistedd, yn rebel dan oed, wrth olwyn car Mal a Lyd a chael tro ar yrru ar hyd Stryd Ropeyard...

'Lladdfa, hil-laddiad, afiechyd ac amddifadwch. Mae'r Arglwydd wedi ein dewis ni i'w dewis hwy, a rhoi dechrau newydd iddynt yn enw'r Arglwydd...'

'Molwn Ef!'

'Molwn Ef, yn wir!'

Tan i'r fan ddod o nunlle, ac fel ceir-bwmpo, yn hytrach na brecio, mae pobl yn swerfio – ac roedd Theo

wedi pwyso tuag ati mewn fflach a chipio'r llyw: bwmp,
ac i ffwrdd i fyny'r stryd a rownd y gornel, o ffordd beth
bynnag oedd yn gorwedd yn y gwter yno...

'Arweiniodd Ef ni ar hyd y llwybr cywir, rhodd-
odd i ni wroldeb i gludo'r plant i le diogel.'

'Amen.'

'Amen, amen.'

'Amen, yn wir!'

Edrychodd Laura ar ei mam ar ei llwyfan, yn
gloywi oherwydd yr holl ddaioni roedd hi ac eraill
wedi'i gyflawni. Ac yn haeddu teimlo'n gyfiawn
hefyd, mewn ffordd, a derbyn clod y bobl – ond yr
hyn roedd Laura'n ei ddymuno oedd blwch cyffesu
Catholig y gallai gilio iddo i gael y gair preifat roedd
hi'n ysu amdano, i ddweud wrth offeiriad am y
peth dychrynllyd roedd hi wedi'i wneud. Plyciodd
ei llaw gyda'r awydd i sticio'r baton yn lân trwy
groen drwm Milwyr Duw.

Roedd llais yn ei chlust.

'Laura!'

Ac nid ei chydwybod oedd yno. Ei thad oedd y
llais, yn cerdded ati o gefn y grŵp drymiau, â'i
wyneb yn wyn fel y galchen.

'Lle mae Kaninda?'

Cododd Laura ei hysgwyddau. 'Allan efo ti, yn
aros i gael ei baredio...'

'Wel, mae o wedi paredio i ffwrdd!'

Cododd arweinydd y band ei dwylo, yn barod
am Ymdeithgan y Milwyr wrth i'r platiau casglu

gael eu hanfon o gwmpas. Ond fe fyddai'n cael ei chwarae heb ddrwm y bas gan fod Laura wedi llithro allan i chwilio am y ffoadur oedd wedi'i heglu hi.

Dros giât wedi'i chloi, ac i lawr y grisiau gwyrdd, roedd Kaninda'n cerdded o dan fysedd piws canghennau a dyfai o graciau mewn waliau – yr afon ar drai a holltau mawr yn y mwd yn rhedeg allan tua'r llif swrth. Dros yr afon, gryn bellter o'r lan, mewn cei o ddŵr dwfn, roedd llong yn dadlwytho. Culhaodd ei lygaid er mwyn syllu ar yr adlewyrchiad yn y dŵr, gan gofio sut y bu yntau a'r gwrthryfelwyr eraill yn syllu drwy holltau mewn rhisgl coed er mwyn edrych ar olau cryf, er mwyn arbed eu llygaid. Gwelodd bibell anferth yn mynd i lawr i grombil y llong; gwelodd rwd ar yr howld, a baner yn hongian yn farw o'r starn.

Afon fawr oedd hon; mwy fel afon Nil na'r Uebe; a llawer lletach nag Afon Lasai lle'r oedd ei dad yn arfer mynd ag o. Aeth ar ei gwrcwd ar y grisiau eto. Pwy fyddai eisiau cael ei baredio ar lwyfan er mwyn i Capten Betty Rose a'i phobl eglwys syllu arno? *Haleliwia! Moliant i Dduw!* Roedd wedi cael ei baredio hen ddigon gan y bobl yma – i'w fwydo; i gael moddion; i'w fesur; i'w ddewis i ddod i'r wlad swnllyd, goncrit yma – pan na ddylai fod yma, pan na ddylai fod yn anadlu. Ond gan ei fod *yn* anadlu, dylai fod yn gallu anadlu aer rebel Kibu, aer chwys ac olew gynnau, taniadau a mwg ffrwydradau lle'r oedd cyrff Yusulu'n cael eu gadael i hongian yng nghanghennau coed...

Bore braf o Ebrill oedd hi. Roedd hynny'n gymysg â chorddi dig yn ei fol, y tristwch o weld y dŵr hwn yn dwyn atgofion yn ôl o fod gyda'i dad ar bryn - hawn rhydd o'r swyddfeydd mwyngloddio: pysgota am ddraenogyn y Nil a'i lapio mewn dail matoke i'w bobi ym marwydos tân bach – does dim yn y byd sy'n fwy melys. Heblaw'r teimlad o fod yno efo'i dad.

'Cadwa dy hun o'r ochr, boi. Mae pysgod yn gweld i fyny'r lan. Mae rhyw dwist yn y dŵr. Maen nhw'n dy weld di cyn i ti eu gweld nhw.' Ac ar ôl daliad lwcus un diwrnod, roedd ei dad wedi hollti bol y pysgodyn a phwyntio â'i gyllell at bryd olaf y pysgodyn. 'Wyt ti'n gweld yr hadau lili yma? Dyna beth mae o'n ei fwyta. Dyna beth ddefnyddiwn ni i ddal ei frodyr...'

A'r math yna o siarad; y pethau roedd tad ei dad wedi'u dysgu iddo fo, rŵan yn cael eu trosglwyddo i Kaninda, llên gwerin y tylwyth. 'Gad y pysgodyn yna i fod, mae ganddo fo geg fel parot. Un gwenwynllyd fydd o.'

Felly sut fath o bethau allai dyn fel yr Is-Gapten Peter yna eu dysgu i blentyn?

Yn sydyn, daeth awyren fechan dau-fodur i lawr a chwyrlïo dros yr afon a thros y llong. Rhuai fel lladdwr llywodraeth Yusulu; peth bychan, ffyrnig, a'r unig awyren yn awyr Lasai – yn gyntaf, sŵn rhuo, ac yna rhwyg taflegrau roced. Anfonodd hynny Kaninda i lechu, wedi'i wasgu'n bêl fechan yn erbyn y coediach. Ond ni ddaeth rocedi. Llundain oedd fan hyn, nid dinas Lasai na thalaith Kibu. Gwnaeth hynny iddo deimlo fel ffŵl: y busnes cuddio yna – fel plentyn oedd ddim ond newydd ymuno â'r gwrthryfelwyr ac wedi taflu'i hun i mewn i wrych o glywed brigyn yn torri'n ddau. Nerfus, ofn ei anadl ei hun. Os oedd rhywun eisiau byw, roedd yn rhaid iddo fagu calon fel llew, ac ar frys.

Pysgodyn ceg parot! Wedi ymchwyddo'n fawr. Fel llun cartŵn o Martin Nshamihigo, llywydd Lasai oedd yn atgas gan y Kibu, fel petai gwneud iddo edrych yn wirion yn ei wneud yn llai drwg. Nshamihigo o dylwyth Yusulu, rheolwr Lasai, y dyn oedd wedi arteithio mwyngloddwyr Kibu â'i ddwylo ei hun ar ôl eu darganfod â diemwntau ym mhob hollt yn eu cyrff, a hynny ar ôl gorchymyn ei ddynion ei hunan i'w rhoi yno.

'Dau dylwyth, dwy bobl, un faner.' Fel rheolwr swyddfa pwll Katonga, roedd tad Kaninda'n dweud fod yn rhaid iddo eistedd ar ddau geffyl ar unwaith: ceffyl tylwyth dan orthrwm – y Kibu, a cheffyl y perchnogion Yusulu. A phan ddilynodd y ceffylau ddwy ffordd wahanol yn y gwrthryfel, cafodd y dyn ei rwygo'n ddau, a'i deulu gydag o, heblaw am Kaninda.

Teulu. Tylwyth. Llwyth. Hil. *Gwahaniaeth*. Aeth bysedd Kaninda at graith galed y fwled yn ei fraich dde, un gwahaniaeth rhyngddo fo a'r plant yma yn Lloegr. Nid oedd yr awyren yna wedi pledu popeth mewn golwg. Beth fyddai unrhyw un yn y lle yma'n ei ddeall am gasineb rhyng-dylwyth? Yr Yusulu a'r Kibu: y ddau o Lasai, ond y naill a'r llall o linach brenhinoedd hynafol gwahanol. Un: Ndahura, o'r tiroedd ffrwythlon, y tylwyth amaethyddol. A'r llall, Cwa, brenin Kibu, a'i bobl nomadig yn masnachu gwartheg – nes i epidemig afiechyd y gwartheg ddifetha'r gyr a gosod y Kibu ar drugaredd yr Yusulu, oedd wedi cyfarfod y Saeson, darganfod diemwntiau ar eu tir ffrwythlon ac achub y Kibu trwy wneud caethweision ohonynt, y mwyngloddwyr.

Edrychodd Kaninda ar ei gysgod ar risiau'r afon. Roedd modd dweud y gwahaniaeth rhwng pobl. Kibu'r gogledd yn dalach, llai o gnawd arnyn nhw; yr Yusulu o'r canolbarth a'r de yn bobl lai. Dyma'r gwahaniaethau y byddai rhywun yn eu gweld yn gyntaf, hyd yn oed o fewn priodasau cymysg lle'r oedd ychydig o hyn ac ychydig o'r llall, ac roedd tylwyth rhywun yn cael ei benderfynu gan y gwaith roedd yn ei wneud. Roeddech naill ai'n Yusulu ar y brig neu'n Kibu oddi tanynt – hyd nes y marwolaethau arswydus pan gwympodd pwll Katona i mewn arno'i hun ac i'r Kibu benderfynu mai digon oedd digon...

Roedd rhyfel i'w hennill o hyd – ac yntau ddim yno i'w ymladd. Dim ond cyrcydu ar risiau gwyrdd yr oedd Kaninda, un pen-glin i fyny. Fe allai fod ag M-16 yn gorwedd yn erbyn ei gorff. *Traed, gafael, anelu, anadl, clicied, tanio!* Roedd eisiau tanio chwa o fwledi dros y byd: ond ni allai weld ymhellach na'r llong acw o'i flaen. Craffodd i weld manylion y faner a oedd bellach yn dangos mwy o'i hun ar yr awel; credai fod du, brown, stribedi gwyrdd a rhyw symbol yn y canol. Ond roedd yr enw ar ochr y llong yn rhy rydlyd i'w weld.

Crynodd. Roedd hi'n oerach yn sydyn, ac yn troi'n fwll erbyn hyn. Yn Lasai, roedd y tywydd bob amser yr un peth, ond am gyfnod y glaw. Yma, roedd hi fel hyn un munud a fel arall y nesaf. Fflachiodd rhywbeth yn ei lygad, yr haul yn adlewyrchu ar chwyrlïo'r dŵr yn crychu dros y mwd sgleiniog; fel pysgod yn y dŵr bas ar ddiwrnod llugoer, pan oedd y draenogyn yn dod allan o'r dyfroedd dyfnion i fwynhau dŵr cynhesach.

Ond nid pysgodyn oedd hwn. Rhywbeth stiff a sgleiniog oedd yno, yn sticio i fyny yn y mwd. Nid cenau nac asgell oedd arno, ond rhywbeth arall, rhywbeth arian a golwg werthfawr yn tywynnu fel rhipyn o ddiemwntiau.

Tynnodd Kaninda ei esgidiau – nid oedd wedi trafferthu gwisgo sanau Mrs Capten Betty Rose – rholiodd ei drowsus a chamu i'r mwd gwlyb i weld beth oedd yno. Mwd llithrig, yr un stwff ymhobman yn y byd, ond yn oer yma, ac yn olewog. Ac yn y modd y mae dŵr bob amser yn eich dal, waeth pa mor ofalus rydych chi, roedd llepian afon Tafwys wedi gwlychu ei drowsus cyn iddo fedru bachu'r peth sgleiniog yna roedd wedi'i weld. Felly, beth oedd yno?

Dim byd gwerthfawr. Plat rhif o gar.

Y plât rhif? Ai hwn oedd y plât rhif roedd y bobl yna'n neidio fel llyffaint gwenwynig yn ei gylch? Trodd at y lan yn ofalus – wrth newid cyfeiriad y mae rhywun yn colli'i falans mewn dŵr bas, pan fo pob aelod o'r platŵn a'i law ar yr aelod o'i flaen – a suddodd yn ôl i mewn i'w olion ei hun wrth gerdded yn ôl at y grisiau. Yno, sychodd y plât gyda hances wleb.

Roedd Ystâd Barrier yn ddioglyd fel mae boreau Sul yn tueddu i fod, sef: gwag. Roedd yn bywiogi tua'r prynhawniau Sul pan fyddai pobl yn dechrau camu o'u fflatiau; amser diogi oedd boreau. Ac ni fyddai pobl, fel arfer, yn dod am dro i'r Ystâd; pe bai rhywun eisiau gweld yr afon, i Bier Grenwich y bydden nhw'n mynd.

Ond y bore hwn, roedd Queen Max wedi dod i weld yr ystâd. Queen Max a dau o 'Ffederasiwn' Ffordd Ropeyard, Charlie Ty a Snuff Bowditch. Roedden nhw'n troedio'r palmentydd gyda'i gilydd, dim sgwlcan ond cerdded pwrpasol fel milwyr ar ymgyrch. Queen Max yn union yn y canol rhwng y ddau arall, oedd y tu ôl iddi, llygaid yn edrych i bob cornel, cegau ar gau. Petaech chi'n gofyn cwestiwn i un ohonynt, cic fyddech chi wedi'i derbyn fel ateb, neu rywbeth trwm o'u llaw.

Aethant mewn lifft i lawr uchaf un adeilad ac edrych allan rhwng potiau planhigion pensiynwr.

'*Dim un* coch!' meddai Snuff. Roedd yn fachgen tenau, esgyrnog, budur, caled. Pwyntiodd at y ceir wedi'u parcio o flaen y bloc fflatiau canolog gydag ewin wedi'i gnoi'n ddim. Yno, wedi'u parcio, roedd ceir o bob lliw y gallech eu prynu, heblaw coch.

'Os oes gen ti gar ychydig yn bethma, wyt ti'n mynd i'w barcio fo i lawr yn fan'na, boi? Heb blatiau, rhaid mai car wedi'i ddwyn ydi o, felly mi fydd o wedi'i stwffio o'r golwg, siŵr.' Charlie Ty, boi tal, o ystyried mai Tsieinead oedd o, drodd yn ôl o'r balconi a syllu'n gas ar y pensiynwr oedd yn crynu y tu ôl i lenni lês. Crafodd ei smotiau a dangos y tatŵ F ar ei fraich dde. 'Maen nhw wedi'i roi o mewn garej dan glo a rhoi ail gôt o baent iddo fo, tyden?'

Ond roedd Queen Max yn cau ei cheg ac yn pwyntio at lwybr ger yr afon, camau'r afon, dim F ar ei braich hi gan fod ei thatŵ Ffederasiwn hi wedi'i roi yn rhywle arall.

'Lawr yn fan'na. Y bachgen bach du yna. Beth mae o'n cydio ynddo, te?'

Edrychodd y ddau F.

'Plât rhif...?'

'Teulu ydi o, ie?'

'*Falle*, dyna'r cwbl.' Syllodd Queen Max yn galed.

'Gwyliwch o!' gorchmynnodd hi i Charlie.

'Mae Snuff a fi'n mynd i ddal i edrych. Dos di i nôl y rhif.'

'Ei nôl *o* hefyd.'

'Dewch a fo i mi. Dreifio rownd ein strydoedd ni, taro'n plant... os daeth y car yna o'r Barrier, mi gawn ni'r rhyfel fwyaf ers Hitler. Paid â sbwylio hynna.'

'Ie.'

'Felly, dim byd *drastic* eto.'

'Reit.'

A chododd dwy F i'r awyr mewn saliwt, dyrnau wedi'u cau.

Roedd Laura wedi dianc efo'i thad. Fe fyddai o'n chwilio'r strydoedd, yr arosfannau bysiau a'r parc. Fe fyddai hi'n mynd i'r llefydd lle bu hi efo Kaninda y diwrnod cyn hynny, trwy Ystâd Barrier ac ar hyd llwybr glan yr afon.

Roedd tair o ferched tua un ar ddeg neu ddeu - ddeg oed yn cael mygyn a gigl ar un o'r meinciau; un yn eistedd ar gefn y fainc, bŵts mawr, coesau gwyn wedi'u croesi, yn fflicio ei lludw fel petai hi wrth y bar yn Fflamingos.

'Tri thocyn i Sgrîn Dau!' gwaeddodd ar Laura. Mor hawdd gwybod beth oedden nhw'n mynd i'w ddweud. A hen jôc – wir, dylen nhw newid golwg yr iwnifform Milwyr Duw yma. Ond doedd dim golwg o Kaninda yma, yn llosgi'i wefus ar Silk Cut.

Pasio'r plant bach oedd anoddaf. Hwythau'n sefyll fel milwyr a rhoi saliwt; pledio i gael chwarae ei thambwrîn; neu 'rho *cup-a-soup* i mi' – y lleiaf oedd y plentyn, y lleiaf posib fyddai rhag-weld beth roedden nhw'n mynd i'w ddweud. Ac roedd cwlwm cas o blant y Barrier yn cicio potel blastig fflat mewn gêm bêl-droed, merched a bechgyn. Roedd Laura yn adnabod un – Sharon – deg neu un ar ddeg oed ac wedi bod i barti Clwb Gwener Milwyr Duw unwaith, un fach flaengar fyddai wedi gallu bod efo'r ysmygwyr ar y fainc, yn hawdd.

Aeth Laura i mewn i'r sgwrs yn gyntaf. 'Ydych chi wedi gweld bachgen du ar ei ben ei hun?'

'Mae gennym ni Jackson yma.'

Roedd Jackson yn rhy ifanc, llygaid mawr, traed pêl-droed yn dawnsio tuag at y merched ac yn cael ei ffowlio gan gofleidiau o hyd. Roedd o'n dangos ei wyneb yn Milwyr Bychain Duw pan oedd gwobrau ar gael.

'Hŷn.'

'O ie? Ydy Theo'n cuddio oddi wrthyt ti?'

Roedd Sharon yn tyfu i fyny'n rhy gyflym. 'Na. Bachgen arall. Mae o mewn crys gwyn a throwsus llwyd. Ac ychydig yn iau.'

'Be 'dio werth?'

'Mae o ar goll, dyna'r cwbl. Dim *big deal*. Dwi jest isio dod o hyd iddo fo.'

'Rwyt ti isio dod o hyd i lot o bethau.'

Gwnaeth hynny i Laura oedi. 'Beth wyt ti'n ei feddwl?' Roedd gan y ferch olwg wybodus arni.

''W ti isio ffeindio'r Nefoedd cyn dim byd arall, 'dwyt ti?'

Meddyliodd Laura na ddylai aelod yn ei iwnifform roi clusten i blentyn digywilydd. 'Lle mae o? Mae hyn yn bwysig.'

'Yn edrych ar y mwd. Edrych fel ei fod o'n meddwl 'neith o ffeindio trysor.'

'Gôl!' Nid oedd y gêm bêl-droed potel blastig wedi'i stopio ar gyfer y sgwrs.

'Wyt ti'n chwara neu beth, Sha? Aeth honna reit trwy dy goesau.'

'Dwi'n siarad, tydw?'

Ond rhuthrodd Laura yn ei blaen. Dim ond un ffordd oedd yna at fwd Tafwys, oni bai eich bod hi'n disgyn o'r rheilen – dros y giât wedi'i chloi ac i lawr y grisiau; roedd hi a Theo'n eistedd yno weithiau. Ond roedd y Sharon yna wedi'i phoeni gyda'i hagwedd fach wybodus; a phan oeddech chi mor euog â Satan beth bynnag, fe allech chi wneud heb sylwadau gwybodus...

Nid ffŵl oedd Kaninda. Roedd cadw draw nes ei fod yn barod i ddangos ei wyneb yn golygu mai dim ond mater o amser fyddai hi nes y byddai o'n gorfod cerdded yn ei ôl neu adael iddyn nhw ei ddarganfod o yno. Fe fydden nhw'n meddwl ei fod o'n fachgen da, yn 'dda' yn yr un ystyr ag y mae *kraal* o garcharorion sy'n eistedd gyda'u dwylo ar eu pennau isel yn dda. Yn aros... rhedodd ei fys dros y plât llyfn, ei symud y ffordd hon a'r ffordd arall i weld sut roedd y celloedd bychain yn dal yr haul, yn creu adlewyrchiadau diddorol. Roedd y platiau yn Lasai yn siapiau gwahanol; sgwâr, ac wedi'u gwneud o dun dwl gyda'r rhan fwyaf o'r rhifau wedi'u peintio â llaw. Roedd pobl yn *gwneud* eu platiau yn Lasai, nid eu prynu – hyd yn oed os oedd car newydd ganddyn nhw.

A hyd nes i'r diwrnod wawrio pan gai Kaninda ei saethu'n gelain, byddai'n cofio rhif y plât ar jîp y teulu: 384 KEN – roedd pob plât yn Katonga yn dechrau gyda K, a'r plât personol bron yn sillafu ei enw. Ar y llaw arall, roedd gan yr un hwn yn ei law lythyren ychwanegol ar y blaen, fel cerbydau llywodraeth Yusulu – y G atgas yna.

Ac oherwydd y G yna, a hynny heb feddwl ddwywaith, taflodd y plât mor bell ag y gallai i'r afon; tafliad grenâd roedd wedi'i ddysgu gan ei ringyll - iaid, ei fraich yn swingio i fyny a gollwng y peth ar frig arch y tafliad, a'i arddwrn yn rhoi un fflic broffesiynol ar yr eiliad olaf.

Tafliad da. Sblasiodd y plât ymhell allan yn llif dwfn yr afon. Fe fyddai Rhingyll Matu wedi bod yn falch ohono. Petai'n fyw.

'Mae'n amhosib cadw plant o'r afon, tydi?'

Trodd Kaninda ac edrych i fyny'r grisiau. Roedd y ferch, Laura, yn dod dros y giât.

'Beth wyt ti'n ei wneud i lawr yn fan'na?'

Trodd Kaninda i ffwrdd. Nid oedd hyn na dim byd arall yn fusnes iddi hi.

'Mae Dad yn poeni amdanat ti.'

Dy dad *di*, nid fy nhad i.

Roedd gair pwrpasol yn bodoli yn iaith y wlad hon, rhywbeth i adael iddi wybod beth allai hi wneud â'i chwestiynau – ac roedd pobl hyd yn oed yn defnyddio'r gair hwnnw yn ninas Lasai; un yn dechrau â 'F'. Ond atebodd drwy gerdded i fyny'r grisiau a dringo dros y giât o'i blaen hi. A cherdded ymlaen wedyn, drwy'r ystâd.

'Wyt ti'n mynd i redeg i ffwrdd o'r ysgol yfory?' Laura eto.

Ac yna daeth, 'Oi, dwisio gair efo ti!'

Rhywun arall, rhywun roedd Kaninda wedi'i weld yn chwilio'r ffordd mewn llinell baralel, rhyw Tsieinead. Felly, ni thorrodd ei gam, gan fod troi i wynebu llais yn dangos eich bod chi'n nerfus – roedd wedi dysgu hynny pan oedd yn cael ei ddysgu sut i ddwyn o'r farchnad. Cerddodd yn ei flaen a rhedodd Laura ar ei ôl; ar yr un pryd, rhedodd yr Is-Gapten Peter i fyny'r grisiau o'r stryd.

'Kaninda! Moliant i Dduw!'

Trodd Charlie Ty yn ôl a mynd at yr afon gan boeri a rhegi, ac edrych hyd a lled y grisiau cyn dilyn y grŵp er mwyn rhoi adroddiad i Queen Max.

'Mae'n rhaid ei fod o wedi'i daflu fo i'r afon.'

'Felly, welest ti mo'r rhif?'

'Roedd o wedi cael gwared ohono fo cyn i mi gyrraedd.'

'Twpsyn!'

'Ond mi wna i adnabod y boi eto. Mi wnes i 'i *glocio* fo. Mi ddwedith o'r rhif wrtha i. Dwyt ti ddim yn anghofio'r pethau 'ma.'

'Mae'n well iddo fo! Rydw i eisiau i'r diawliaid *hit-and-run* gael eu cosbi cyn iddyn nhw gael eu cloi fyny gan y plismyn.'

'Ie...' A gwenodd hyd yn oed Charile Ty wrth feddwl am hynny.

PENNOD PUMP

Roedd yr ysgol yn adeilad mor dal, roedd o'n edrych fel twr o swyddfeydd. Yn Lasai, dim ond swyddfeydd, adeiladau'r llywodraeth, Gwesty'r Nil a swyddfa heddlu Ffordd Lulonga oedd yn mynd mor bell i fyny i'r awyr â hyn – a'r un olaf yna'n mynd i lawr i'r ddaear sawl llawr hefyd, medden nhw, yn ddigon dwfn fel nad oedd y sgrechian yn cael ei glywed. Ond dim ond sgrechiadau plant yn chwarae oedd yn dod o'r ysgol hon yn Llundain – dim dynion a menywod Kibu yn cael eu holi gan yr heddlu: mae sgrechian o'r math *yna* yn dod yn ddwfn o'r corn gwddf.

Darllenodd Kaninda enw'r ysgol wrth y fynedfa. 'Ysgol Gyfun Fictoria'. *Fictoria, Fictoria, Fictoria –* roedd Fictoriaid ym mhobman ledled dinas Lasai – stryd, marchnad, twr cloc – yn ogystal ag yn yr holl lyfrau ysgol: gan fod yr Yusulu yn ddigon bodlon â'r frenhines dew o Loegr oedd wedi mynd â diemwntau o'u tiroedd llwythol. Roedd o eisiau rhoi'i fysedd yn ei glustiau, fel cyn y ffrwydrad.

Roedd sŵn dwl yn drwm o amgylch Lloegr, sŵn curo ym mhobman wedi taro i mewn i'w ben o'r foment yr agorodd ei lygaid. I glustiau fel ei rai o, oedd wedi arfer codi wrth glywed dim ond brigyn yn torri'n ddau, roedd sŵn Llundain yn ymosod arno, yn tyllu i mewn iddo. Rhuo Llundain. Ac roedd y traffig yn ddiddiwedd – ceir, lorrïau, bysiau anferth, yn mynd i nunlle y rhan fwyaf o'r amser, ciwiau anferth yn anfon mwg tew i'r stryd. Ymosodiad arall ar ysgyfaint glân Affricanwr.

Dim ond y diffyg cwsg ar yr awyren oedd wedi caniatáu iddo beidio â breuddwydio'i freuddwyd neithiwr. Am un noson yn unig, roedd o wedi'i arbed rhag gweld wyneb toredig Gifty yn gwenu arno, y ferch fach annwyl wedi troi'n fwystfil gan farwolaeth. Ar y bore Llun hwn, roedd wedi deffro heb fod chwys ac ofn yn gwlychu'r dillad gwely. A theimlai'n euog am hynny, hefyd.

Cerddodd i mewn drwy giât yr ysgol gyda Mrs Capten Betty Rose, a fyddai wedi dal ei law petai o wedi caniatáu hynny. Dilynai Laura y tu ôl i'r ddau. Nid oedd hi wedi yngan gair wrth Kaninda drwy'r bore, a dyna sut roedd o eisiau i bethau fod. Yna rhedodd fel mellten at gang o ferched pan ddech-reuodd y bachgen, Theo, ddod atynt. Roedd Capten Betty wedi aros i dynnu carreg o'i hesgid ac wrth i'r bachgen edrych o'i amgylch mor gyflym ag y gallai, gwelodd ddynes uwch ei ben. O fod yn codi llaw ar

Laura, mewn fflach, roedd o'n ymestyn yn uchel at bêl foli. 'Fi piau hi!'

Siaradodd ambell blentyn â Capten Betty, ond camu o'i ffordd wnaeth rhai eraill. Roedd y rhan fwyaf yn mynd ynglŷn â'u busnes eu hunain beth bynnag, a Kaninda'n cael ei arwain i mewn i'r adeilad lle cafodd ei roi i sefyll o flaen ysgrifenyddes yr ysgol. Dywedodd hithau wrtho i ba ddosbarth yr oedd o i fynd: ei lygaid wedi'u serio ar y llawr, amynedd carcharor. 'Helô' meddai'r brifathrawes, dynes fach o'r enw Mrs Goldtein, gan ychwanegu pwt o groeso, ac yna, gan rwbio pen Kaninda – yntau'n ddigon buan i'w hysgwyd ymaith – dywed-odd fod yr ysgol yn falch o allu'i ychwanegu at ei Chenhedloedd Unedig. Ond torrodd ar draws araith Capten Betty am ymgyrch Milwyr Duw i Lasai yn ddigon cyflyn – yn siarp, fel byddai mam Kaninda yn ei wneud gyda menywod oedd yn gwerthu papur a phensiliau rhad y tu allan i'r brif swyddfa bost. A chyn i Kaninda fod yn ymwybodol o'r peth, roedd o'n eistedd wrth ddesg mewn ystafell ddosbarth, yn syllu ar ei ddwylo wrth i lond ystafell o blant syllu arno ef.

Dyma beth oedd yn cael ei alw'n 'diwtorial grŵp', gyda dynes ifanc o'r enw Miss Mascall yn athrawes arno. Siaradai gyda'r plant fel petai hi'n un ohonyn nhw hefyd.

'Tro dy goler i lawr, Ruby, nid fel'na mae gwisg ysgol i fod...'

'Mae ganddi *love-bite*, Miss.'

'Wel, dangosa fo, hogan, a'n gwneud ni i gyd yn genfigennus,' meddai Miss Mascall.

Nid fel yr Athro Setzi yn ysgol Uwchradd Katonga a oedd yn berchen ar y Meistr Mawr a hongiai tu cefn i'r drws o dan ei het, ac a oedd yn eich llusgo allan i'ch taro ag ef pe baech yn siarad heb roi eich llaw i fyny.

Ysgol Uwchradd Katonga, yn yr un man â Phwll Katonga...

Roedd y pwll yn llonydd ac yn dawel y diwrnod wedi i'r Deep Road Nine gwympo arno'i hunan. Roedd wastad wedi bod yn llonydd ac yn dawel; ar yr wyneb nid oedd byth unrhyw arwydd o'r hyn oedd yn digwydd hanner milltir oddi tano; ond tawelwch arbennig oedd hwn, tawelwch rhyw aros, tawelwch trwm mae'r-glaw-arddod. Roedd tad Kaninda wedi dychwelyd adref gyda'r newyddion dychrynllyd fod cymaint wedi eu lladd, ac am benderfyniad y rheolwr i gau'r twnnel â wal yn hytrach na mynd i gloddio am gyrff. 'Maen nhw wedi'u claddu'n barod,' meddai, 'dim ond gweddïau sydd ei angen arnyn nhw bellach.' Ni ddwedodd air o ymddiheuriad nac edifeirwch wrth y teuluoedd Kibu.

Cynhaliwyd cyfarfodydd gweithwyr yn y dref y noson honno, ffaglau'n llosgi a'r awyr yn gloywi; ond ni arweiniodd hynny at ddim ond llefain menywod a llafarganu am ymadawiad yr ysbryd; dim sŵn gwrthryfel. Er hynny,

bolltiodd tad Kaninda y giatiau dur ar eu gardd a gadael
y cŵn allan yn y buarth. A'r diwrnod wedyn, agorodd yr
ysgol fel arfer gan nad oedd neb yn gwybod beth arall i'w
wneud. Aeth tad Kaninda i'w waith, ond aeth â reiffl
gydag o yn y car, rhag ofn i'r rheolwyr ymosod arno, ac
addawodd y byddai'n dod yn ôl adref i wahardd Kaninda
a Gifty rhag mynd i'r ysgol os oedd arwydd o helynt. Ond
ni ddaeth yn ôl, dim ond ffonio i ddweud fod popeth yn
dawel. Tawel iawn...

Roedd sawl plentyn ar goll o'r ysgol ac nid oedd
disgwyl iddynt gyrraedd; rhain oedd y plant oedd â
thadau wedi'u dal a'u mygu pan gwympodd Deep Road
Nine ar eu pennau. Dywedodd eraill fod eu tadau wedi
mynd i'r Saconga Tree sanctaidd i gyfarfod. Felly dech-
reuodd y gwersi, Athro Setzi yn stiff ac ar bigau'r drain,
ond ddim yn bygwth y Meistr Mawr y bore hwnnw. Dim
ond llygaid ar y gwaith ar daflen o bapur mathemateg.

Ac ar y foment honno, i mewn y daeth y dynion
Diogelwch K, y Meistri Mawr go iawn ym Mhwll
Katonga; chwech ohonynt, heb eu gwisgo'n wahanol
iawn i heddlu'r llywodraeth, ond yn cario arfau hŷn. O'r
synau yn y coridor, roedd yn amlwg eu bod yn y dos-
barthiadau eraill hefyd.

'Dewch!' dywedodd un ohonynt wrth yr Athro Setzi,
tra bo'r lleill yn sefyll gyda'u cefnau at y rhesi o blant,
heb boeni am eiliad am broblem o'r cyfeiriad yna.

Safodd yr Athro Setzi, a cherddodd allan o'r ystafell, ar
flaen baril gwn. Safodd y plant i gyd gydag o, gan mai

dyna oedd y rheol. Ac roedd pob un yn dal ar ei draed, yn dweud dim, pan glywsant sŵn saethu yn yr iard.

Y saethu a'r sgrechian. Adeilad unllawr oedd Ysgol Uwchradd Katonga, a daear wedi'i phwnio oedd yr iard, gyda'r dosbarthiadau o'i amgylch. Bychan oedd y ffenestri, ond rŵan, rhywsut, roedd pob un myfyriwr wedi darganfod gofod bach er mwyn edrych allan i'r iard – ar bentwr o gyrff athrawon yn y canol, dynion a menywod wedi disgyn dros ei gilydd fel gêm wallgo o 'gwneud pentwr'. Ond y peth gwaethaf oedd gweld yr Athro Setzi yn symud ar frig y pentwr, a reiffl yn cael ei anelu at gefn ei ben. Bang.

Trodd dynion Diogelwch K yn eu hunfan yn y llinell saethu, ac wynebu'r dosbarthiadau. Rhedodd Kaninda a'r lleill fel cwningod gwyllt i guddio o dan eu desgiau, trais ac ofn yn chwyrlïo yn yr ystafell ac yn achosi i'r Meistr Mawr siglo ar y drws o dan het yr Athro Setzi, yr ystafell dan ei sang o anadlu panig, a sŵn chwydu. Hyd nes i sŵn o fegaffôn eu cyrraedd, 'EWCH ADREF!' yn llais y prifathro. 'Mae'r ysgol wedi'i chau!' Ac aeth Kaninda a'r lleill allan i'r iard a rhedeg heibio'r pentwr o gyrff yn llosgi, a mynd adref i glywed hanes lladdfa dynion mawr eraill yn y gymuned Kibu.

'Jon Bennett, rwyt ti newydd daro...!' Edrychodd Miss Mascall yn sydyn o'i gorchwyl o alw'r gofrestr. 'Roedd gennym ni'n dau *ddêl* a rŵan rwyt ti wedi'i thorri! Yn llythrennol.'

'Be?'

'Rwyt ti'n gwybod. Mi ddwedais i, dim mwy o wneud y sŵn yna yn yr ystafell yma neu fydd yna ddim trip i ti.'

'Pa sŵn? Dim fi oedd o.'

'Dwi'n adnabod dy oglau di!'

A dyna'r arwydd i'r holl blant eraill. Dwylo i'w trwynau, coleri dros eu hwynebau fel masgiau ymosodiad. A gallai Kaninda ei arogli rŵan hefyd, bwyd a'i lond o sbeis wedi mynd yn ddrwg.

'Fedrwch chi'm profi mai fi oedd hwnna!'

'Does dim rhaid i mi.' Caeodd Miss Mascall y llyfr cofrestru yn glap. 'Fi sy'n dewis pwy sy'n dod ar y trip i'r ffatri; iechyd a diogelwch; ffatri fwyd ydi hi.'

'Dwi'm isio mynd beth bynnag!'

Disgwyliai Kaninda weld y Meistr Mawr yn ymddangos o rywle; ond ni ddaeth; ac yn fuan roedd wedi arfer â'r sŵn a'r ateb yn ôl yn yr ysgol Seisnig. Dilynodd y llwybr i Ffrangeg ac yna i Gwyddoniaeth – llyfrau newydd yn tyfu'n dew o dan ei fraich nes iddo gael cwpwrdd iddo'i hun – cyn i bawb gamu allan i'r iard eto ar gyfer egwyl. Chwarae'r gêm hon o'r enw ufudd-dod, dal ei hunan fel bachgen cyffredin tra'i fod eisiau sgrechian nerth ei ben a thaflu'i hun i'r ffordd o dan olwynion trym-ion. Ond rhywsut, llwyddodd i'w reoli'i hun. Roedd mwy i'w wneud cyn y câi ymlacio, yn ddieuog, mewn bedd dwy-droedfedd.

Oedodd awyren fawr uwchben yr ysgol, efallai'n hedfan i'r un maes awyr â hwnnw lle cyrhaeddodd ef. A gofynnodd iddo'i hunan: sawl plentyn arall o Lasai oedd i fyny yna yn yr awyr? Plant heb deulu; plant Kibu a oedd yn dal yn fyw.

Mae'n rhaid bod Laura wedi llwyddo i bendwmpian tua'r bore gan iddi godi o fyd gwahanol pan ganodd y cloc larwm. Ond roedd hi wedi cael noson ddychrynllyd. Roedd dillad ei gwely'n dweud hanes ei chythrwfl. Roedd hi wedi cicio, clymu ei choesau mewn cotwm, tynnu ei phyjamas a'u taflu i'r llawr. Roedd hi wedi trio gweddïo – dros y ferch yna yn y gwter, am faddeuant, am dawelwch meddwl. Nid gweddïo uchel Milwyr Duw ond ymbilio personol i gael gwybod beth i'w wneud. Ac er hyn roedd hi wedi aros â'i llygaid yn lled agored ac yn effro.

Wrth wneud ei gwely, edrychodd ar yr un llun ar ei wal nad oedd yn un crefyddol, llun cylchgrawn o ynys ei mam yn y Seychelles. Tywod gwyn, coed cnau coco yn ymestyn allan dros y môr a chawr o grwban. Yr Ardd Eden wreiddiol, yn ôl y sôn. Paradwys.

Wel, dyna'r math o baradwys ddaearol roedd hi'n ei ddewis, ymhell o'r Thames Reach. Beth *oedd* wedi bod ar ben ei mam yn gadael y fath le, lle nad oedd gair am 'hiliaeth', lle nad oedd troseddau treisiol, lle roedd bwyd i bawb o'r môr a llaeth cnau coco am byth, lle gallech ddal bywyd rhwng eich dwylo, mynd amdani, bod yn *'sool'* fel byddai Theo'n ei ddweud?

Pa mor bell oedd y baradwys hon?

Rŵan, yn egwyl yr ysgol, daeth Laura ar draws Theo yn yr iard; nid oedd eiliad o breifatrwydd wedi bod yn ystod y wers er mwyn siarad ag o, ond yma, allan yn yr iard, gallent fod ar eu pennau eu hunain.

'Laura, *baby*, lle mae dy sbarc di heddiw?'

'Dwed wrtha i, beth sydd yna i roi sbarc i mi?'

''Nabod fi, *Sis*. "Rodeo a Juliet".'

'"Romeo" wyt ti'n ei feddwl.'

'"*Rodeo*" dwi'n ei feddwl – cau hi!'

Jôc oedd honna ta oedd o o ddifri? Gafaelodd Laura yn Theo a'i wthio i gornel. 'Siarada synnwyr am unwaith, wnei di!' gwaeddodd. 'Wyneba'r gwir am funud...'

'Pa wir sy'n rhaid 'mi wynebu?'

'Rwyt ti'n *gwybod*...'

'Ne-ga-tif! Ma' gen i *blur*, dim mwy.' Chwifiodd ei law dros ei lygaid. 'Roedden ni yn y car, ti'n dreifio, rhedodd plentyn allan, mi wnest ti swyrfio, ac roedd y plentyn wedi mynd.'

'Ffeithiau caled, *man*!'

'Na, roedd y cwbl drosodd mewn fflach. Dim byd yn profi bo ti di hitio'r plentyn, na'i lladd.'

'*Ni!*' roedd Laura eisiau ei daro. Y golwg yna yn ei lygaid, y gwadu, roedd hi'n ei gasáu am fod fel'na. Roedd hi angen cynllun, angen ffordd o fynd at yr heddlu a dweud y gwir a delio â'r gosb.

'Fe fydden nhw'n ein lladd ni, Ffed Ropeyard, tasen nhw'n dod i wybod yr un ffeithiau â thi. Mi gei di anghofio'r heddlu. Dyna fyddai'r darn hawdd – treulio amser yn Feltham...'

Yna gwenodd arni, yn llawn ohono'i hun, ag agwedd dwi'n-golchi-fy-nwylo-o-hyn, a thynnodd hithau ei braich yn ôl er mwyn rhoi clowten iawn iddo.

Byddai unrhyw un oedd yn gwrando wedi clywed llef boenus.

Daeth Kaninda i mewn i'r iard lle nad oedd un enaid byw eisiau ei adnabod nac un enaid byw eisiau ei ddarganfod. Rhywsut, roedd o'n mynd i gyrraedd pen arall y diwrnod heb wneud anaf iddo fo'i hunan, i ben arall yr wythnos hefyd, hyd nes i'r glaw ddod os oedd rhaid; roedd am ragchwilio'r tir a darganfod ffordd o fynd yn ôl i Lasai, rhywsut – i wneud iawn am farwolaeth ei deulu. Fe fyddai cefndryd yn rhywle. Ni allai'r Yusulu, hyd yn oed, ladd *pawb*. Ac roedd y Cyrnol, 'Y Llewpart', bob amser wrthi'n casglu'r rebeliaid ynghyd ar gyfer yr ymosodiad mawr ar lu'r llywodraeth; efallai rŵan, efallai ar ôl y glaw; nid dyna oedd yn bwysig, ond ei fod yn cyrraedd mewn pryd ar gyfer y lladd.

Roedd iard yr ysgol yn orlawn, fel yr ardal y tu allan i stadiwm Fictoria ar gyfer Cwpan Affrica. Roedd sgwrsio, bwyta, poeri, gwthio i bob cyfeiriad; merched a bechgyn ynghyd. Ond tua'r cyrion, ger y giât oedd yn arwain i'r ffordd, roedd gofod lle gallai sefyll a meddwl a dal ei wynt.

Ond, rhwng Kaninda a'r lle hwn, roedd bachgen tal Tsieinead – â golwg gas arno fo fel Llu Diogelwch K. Y boi ger yr afon y diwrnod o'r blaen.

'Oi! Ti!'

Anwybyddodd Kaninda fo a dechrau cerdded heibio ond roedd y bachgen wedi cydio'n dynn yn ei fraich, y fraich efo craith y fwled. Edrychodd ar wyneb y Tsieinead mawr, oedd wedi'i grebachu'n dynn gyda phŵer oer.

'Gad i 'mraich i fynd!'

'Ie, dyna wna i, hy. Mi geith dy fraich di fynd – a dy ben di, yn lân i ffwrdd!'

Gwasgodd y bachgen o'n dynnach, brifo'r twll yna yn Kaninda oedd yn dynodi'r unig boen a deimlodd pan laddwyd ei deulu, y clwyf a gariodd fel medal o euogrwydd, fel gwobr.

'Y plât yna oedd gen ti...'

'Gad 'mi...' Ceisiodd Kaninda wingo'n rhydd ond claddodd y bachgen ei ewinedd i mewn i'w fraich a'i frifo'n fwy.

'Pa rif oedd arno fo, y pwdryn?' nesaodd ei wyneb llawn plorod.

Bellach roedd Kaninda'n brifo o ddifri – y fraich, yr ysbryd: roedd ar fin torri.

'Y?' Twist arall.

Ond roedd Kaninda wedi'i hyfforddi. Ceisiodd un tro olaf. 'Gad 'mi fod – ti'n deall?'

'Os roi di'r rhif 'na i mi – dechreua siarad...'

Ond ni chafodd y bachgen gyfle i ddweud mwy, ar wahan i un ochenaid chwyslyd. Wrth i'w wefus gyrlio mewn dirmyg llwyr a'i fysedd gladdu'n galed i gyhyr Kaninda, saethodd braich rydd Kaninda fel bollt ato, rhwng ei goesau, yn gyflym ac yn galed fel petai am fwrw'r holl ffordd trwyddo – cydiodd Kaninda'n dynn trwy'r trowser a rhoi tro siarp i'r dde fel petai am blycio pethau'n hollol rydd, un symudiad fel crafanc ci wrth ymladd, gan daflu ei ben yn ôl fel na allai gael ei bytio.

'Gad i 'mraich i fod!'

Dim problem, roedd y Tsieinead wedi'i ollwng yn barod, ei ddwy law wedi gollwng at arddwrn Kaninda er mwyn ymrafael â hwnnw.

'Aaaa!'

A rhyddhaodd hynny Kaninda i ymestyn ymlaen gyda'r llaw oedd rŵan yn rhydd, ac at wddf y boi, mewn dalfa digon i dagu, lle gwasgodd ei fawd i'r bibell wynt. Lledaenodd llygaid y bachgen. Cerddodd Kaninda fo mewn cylch lawn fel hyfforddwr â'i ebol, gan deimlo'n gryf, teimlo rhyddhad o fod wedi cael ffrwydro.

'Wyt ti'n ildio, wyt ti?'

Roedd y bachgen ar flaenau ei draed, ar fin hed-fan, un fraich oddi tano, un wrth ei wddf. Roedd ei wyneb wedi crychu rŵan, nid o bŵer ond o boen ei dagfa.

'Paid â chyffwrdd eto!' Gan roi un tro olaf a phalu ei ewinedd yntau'n ddwfn, chwyrliodd Kaninda'r bachgen i ffwrdd, gwthio'i ben i fyny a cherdded i'r cyfeiriad arall, gan wybod na fyddai'r boi yn meiddio ymosod o'r cefn ar y fath ymladdwr.

Fe allai fod wedi gwneud gwaeth; ond ymladd er mwyn cyrraedd y nod roedd milwyr. Dal rhywun heb ei ladd os am gael gwybodaeth, gorffen y job os oedd hi'n ddewis rhyngddyn nhw neu chi. Neu roedd yn rhaid i chi ddysgu gwers iddyn nhw mewn achos o ladrad dogn bwyd. Roedd o wedi rheoli'r ysfa i ladd ac roedd y bachgen wedi dysgu gwers. Paid byth â rhoi llaw ar glwyf Kaninda. Ac roedd y cwbl wedi digwydd â phrin ddim sŵn, a heb i ormod o bobl sylwi.

Ond roedd Theo wedi bod ymysg y rhai a sylwodd.

'Ken! Pos-i-tif man! Mae gen ti gyts!'

Ni ddwedodd Kaninda air – nid oedd gair i'w ddweud. Roedd o'n brysur yn llowcio poer ei ym-osodiad beth bynnag.

'Mae o'n un o'r Ffederasiwn. Maen nhw'n cael eu "torri" er mwyn cael eu derbyn. Rwyt ti 'di dewis y gelyn anghywir yn fan'na!'

'Na. Fo wnaeth elyn anghywir. Mae'r Tsieinead 'na *wedi* cael y gelyn anghywir. Dwi'n deall be 'di hynny'n iawn: gelynion anghywir!'

'Wel, dwi'n ffrind da, mêt, pan rwyt ti'n dod at ddewis ochrau.'

Ond ni ddwedodd Kaninda fwy. Sychodd ei ddwylo ar ei grys a cherdded at y giât lle'r oedd o wedi bod yn anelu ati, er mwyn darganfod yr heddwch roedd wedi'i geisio, ac anadlu, anadlu'n ddwfn, ddwfn, iawn.

PENNOD CHWECH

Lle cyhoeddus iawn oedd y man lle roedd pobl yn cael eu cyfweld yn swyddfa heddlu Thames Reach. Nid oedd unrhyw sôn am eistedd, cyfweliad preifat, paned, mygyn, ffonio cyfreithiwr, na; dim ond sefyll ar un ochr i sgrîn ddiogelwch a siarad trwy ddarn o bersbecs tyllog, a gweddill y byd y tu ôl i chi er mwyn dangos eu trwydded yrru neu gael rhywun i arwyddo eu ffurflen mechnïaeth.

'Mae'r datganiadau gyda ni,' meddai'r blismones wrth Rene Hedges. 'Rydyn ni'n gwneud popeth allwn ni tan i'r ferch – tan i Dolly – ddeffro a siarad â ni.'

'Mae gynnoch chi "gar coch heb blatiau"?' gofyn - nodd Rene.

'Oes. Felly allwn ni mo'i ffeindio fo efo cyfrif- iadur...'

'Felly beth arall ydych chi'n ei wneud? Os ydi hi'n marw a ddim yn siarad – a fase hi ddim yn siarad, wedyn, na fydde – ai dyna'i diwedd hi? Ar y silff â fo – trosedd heb ei datrys? *Typical*!'

73

Gollyngodd y dyn tu ôl i Rene ei dystysgrif MOT.

'Na, madam. Mae o ar daflen ddyddiol pawb. Mae o ar restr yr Iard. Bydd pob swyddog yn Llundain â'i lygaid yn agored.'

'Ie, mi fedra i jest weld hynna!' taniodd Rene sigarét a chwythu mwg at yr arwydd 'dim ysmygu'. 'Top eu rhestr nhw, dwi'n siŵr!' gwthiodd ei hwyneb at y persbecs. 'Maen nhw'n ddigon cyflym yn fy nghael i am loetran ond pan mae'r hogan fach wedi'i tharo gan gar, beth wela' i chi'n ei wneud wedyn? I ba gyfeiriad aeth y car coch yma wedyn – ydi hynny gynnoch chi?'

Edrychodd y blismones yn y ffeil. 'Na. Oes rhywun wedi dweud wrthoch chi?'

'Do.'

'Tydi o ddim i lawr yma.' Edrychodd trwy ei phapurau ar frys.

Pesychodd y gyrrwr ac edrychodd Rene arno mewn ffordd a gaeodd ei geg. 'Mae'n rhaid mai rhywun ddywedodd rywbeth wrtha i.'

'A'r rhywun yma'n llygad-dyst?'

Cytunodd Rene, fel mai plentyn braidd ar yr ochr ara-deg oedd y blismones – ond roedd cryn ddiddordeb yn dod o'r ochr arall i'r persbecs.

'Felly, i ba gyfeiriad aeth o?'

'Yn ôl y sôn, fe drodd i'r dde.'

'I'r dde?' Trodd y blismones y 'map digwyddiad' yn y ffeil. 'Sy'n arwain at...'

'Yr afon. Ystâd Barrier.'

'Ie...'

'Felly dyna lle dwi isio gweld tipyn o fywyd, iawn? Taswn i'n rhywun â thipyn o arian ganddi, mi fasai pob un drws yn cael cnoc, yn byddai?' Trodd Rene at y dyn MOT am gefnogaeth. Gollyngodd ei drwydded y tro hwn. Diffoddodd ei sigarét ar y plât metel oedd i fod i gael ei ddefnyddio i basio dogfennau i'r ochr arall. 'Ewch i lawr i Ystâd Barrier a dechrau gofyn cwestiynau lawr fanno – dyna be 'dach chi isio 'i wneud!'

Edrychodd y blismones ar fonyn y sigarét ac yna i fyny ar Rene Hedges. 'Mi wna i basio hynny 'mlaen, yn siŵr i chi,' meddai.

Allan o'r ysgol â Kaninda a Theo, i lawr y llwybr sy'n rhedeg o Ystâd Barrier a heibio'r amddiffynfa llifogydd ei hun. Yno, ger yr afon, roedd Kaninda'n ddigon agos i weld y rhybedion ar blatiau dur colofnau'r Barrier, yn fflachio'n loyw yn yr haul.

Nid oedd eisiau bod yma, ond roedd Theo wedi ei hudo allan o'r iard ysgol, yn union fel yr oedd Sargent Matu wedi llwyddo cael sigarénnau gan bobl.

'Ken – dwi isio dangos rhywbeth reit *awsome* i ti...'

'"*Aw-some*"?'

'"*Awsome*" yw be ti'n mynd i'w weld.'

75

Ac aeth Kaninda gydag o, yn rhannol gan ei fod yn cael ei dynnu, yn rhannol gan fod y Theo yma'n tynnu coes fel Sargent Matu, ond yn fwy na dim, gan fod y bachgen wedi'i weld yn gorchfygu'r Tsieinead. Roedd angen cael ei weld fel y Kaninda tawel eto, nid fel ymladdwr arbennig.

Amser cinio oedd hi. Roedd ganddyn nhw'r hawl i fod allan o iard yr ysgol. Dangosodd Theo iddo sut i roi tocyn pryd i'r ddynes mewn het wen a chasglu pecyn o frechdanau ac afal, a gafodd eu llowcio ar frys wrth iddynt gerdded at yr afon.

'Rhywbeth dwi isio 'i wybod a wyt ti'n medru'i wneud ai peidio.'

'Dwi'n medru nofio.'

'Neg-a-tif! Nid yn y swyrls yna. Fyddet ti'n cael dy sugno i lawr twll y plwg.'

Roedd Kaninda'n nofiwr da. Roedd ei dad wedi'i ddysgu, ymysg y gwelyau papyrus ar ymylon yr afon lle roeddent yn pysgota, ac fe fyddent yn rhoi eu dillad ar fonyn coeden acacia. Ond roedd oerfel yr afon hon yn siŵr o fod yn wahanol – roedd pethau'n arnofio ac yn chwyrlio yno'n dangos ei bod yn berwi â cheryntau. Dim ond mewn sefyllfaoedd lle'r oedd yn rhaid dewis rhwng bywyd neu farwolaeth y byddai rhywun yn nofio mewn dyfroedd mor frawychus.

'Dwi'n gweld fod gen ti asgwrn cefn, Ken...'

Nid oedd Kaninda'n deall.

'Gyts, mae gen ti gyts.'

Dim ateb. Gyts oedd dewrder, on'd e? Wel, nid *meddu* 'dewrder' oedd o. Wedi'i *saethu* i mewn iddo roedd o.

Roedd Theo'n pwyso ar y rheilen bren oedd yn rhedeg hyd yr afon, fetrau uwchlaw'r llanw a oedd yn dod i mewn. Roedd y Thames Barrier yn rhedeg ar draws yr afon, ac ar lan arall yr afon, ychydig yn is i lawr, roedd y llong fawr wedi'i hangori o hyd i lanfa'r ffatri fel gwelodd Kaninda o'r blaen.

'Dyna be sy' raid i ti 'i wneud...'

Roedd Theo'n edrych arno; dyma pam eu bod wedi dod yma. Y peth *awsome* yma.

'... er mwyn bod yn rhan o'r Criw.'

'"Criw"?'

'Criw'r Barrier. Y bois – a merched, rhai. Y gang, felly, y brodyr a'r chwiorydd. Yn lle'r ydyn ni'n byw. I fod yn rhan o'r Criw rhaid i ti ddangos fod gen ti gyts.'

'Os wyt ti *isio*'r Criw yma...' Agorodd wyneb caeedig Kaninda i ddangos dirmyg. Plant! Gangiau iard ysgol!

'Ie, wel... be' sy? Ti'm isio bod yn un o'r brodyr? Allet ti 'i wneud o, Ken. Yli yn fancw...' Pwyntiodd Theo i lawr yr afon ger y llwybr, lle'r oedd y rheilen bren yn rhedeg. 'Dyna'r darn syth, dringo mwnci...' Rhedai'r rheilen heibio'r man chwarae plant bach, ac yna troi heibio'r lanfa. 'Can metr a thri deg chwe phostyn.' Cleciodd y rheilen bren. Roedd honno tua thri deg centimetr o led, â rhychau drosti. Pyst metel glas gyda chapiau bach crwn bob dwy fetr a hanner. 'Rhaid i ti redeg ar ben hwn at lle rwyt ti'n gorfod dringo mwnci lawr fan'cw.'

Nid oedd wyneb Kaninda'n datgelu dim, unwaith eto, ei lygaid yn ddau hollt yn erbyn tywyllwch y dŵr.

'Fydde unrhyw bwff yn medru ei gerdded o, yn ara' deg. I fod yn rhan o'r Criw, rhaid i ti redeg fel taset ti yn yr Olympics, ddim ond yn camu dros bob un o'r pyst, a'i wneud o mewn llai na thri deg eiliad...'

Edrychodd Kaninda ar hyd y trac ac yn ôl.

'Neu fyddi di ddim yn llwyddo i'w wneud o. Un ai byddi di'n rhy ara' deg neu byddi di'n disgyn i mewn. Sydd ddim yn ddrwg, yr ochr yma i'r rheilen, ond yr ochr draw...'

Rhoddodd Theo fys yn nŵr afon Tafwys, oedd yn tasgu dros y wal oddi tanynt.

'A byddi di'n wlyb.'

'Na, boi, byddi di'n farw. Achos bydd yn rhaid i ti wneud hyn pan mae'r llanw allan, pan does na 'mond creigiau a cherrig i lawr 'na.'

Edrychodd Kaninda ar hyd y rheilen eto, dych - mygu'r peth: troednoeth, breichiau allan i gadw ei gydbwysedd, braich ochr yr afon i fyny ychydig er mwyn ei bwyso i mewn petai'n llithro.

'*Tri deg* eiliad?'

Cytunodd Theo. Roedd y pethau hyn yn ddifrifol. 'Ddwedais i wrthot ti, *"awsome"*.' Syllodd Kaninda i'w wyneb.

'Sy'n rhoi amser i mi fwyta fy afal a throi rownd i'w wneud o eto!' Fe fyddai pob un dyn yn ei blatŵn o, yn y rhyfel go iawn, wedi medru gwneud hyn.

Roedd y floedd o geg Theo yn ddigon i ddychryn gwylan a gwneud iddi hedfan i ffwrdd. 'Pos-i-tif! Ti 'di'r boi, Ken!' tarodd Kaninda'n galed ar ei gefn. 'Rwyt ti gystal â bod yn y Criw'n barod – rhaid i ti fod yn un ohonon ni, y ffordd wnest ti ddelio â Charlie Ty.'

Ond ni wnaeth Kaninda ei daro'n ôl, nac ysgwyd llaw Theo. Roedd yn edrych i ffwrdd ac yn edrych allan dros y dŵr.

Ni allai Colonel Munyankindi fforddio bwydo rhywun nad oedd yn medru ymladd. Plant y stryd, plant amddifad, ffoaduriaid yn rhedeg rhag sefyllfa frawychus Lasai – nid oedd "y Llewpart" yn rhoi cymorth y Groes Goch i bobl, roedd o'n arwain y Kibu yn erbyn yr Yusulu. Ni allai gymryd unrhyw un os nad oedd o'n mynd i fod yn ymladdwr ymysg y gorau. Nid oedd oedran yn cyfrif. Os oeddech chi'n ddigon cryf i gario M16 a thri gwregys o fwledi am eich gwddf, os oedd llygad craff am darged gennych, cyn belled nad oeddech chi'n gloff nac yn dioddef o'r dysentri, fe allech chi fod yn recriwt. Os oedd gennych chi'r gallu i ladd.

A dyna oedd y prawf – wedi'i osod ar ddarn o dir agored a charcharor Yusulu wedi'i glymu wrth bostyn, a sach dros ei ben. Roeddech chi'n cael gwn ac roedd yn rhaid i chi'i saethu'n gelain, ar eich union. Roedd yr amser rhwng ei weld o a'i saethu fo'n cael ei fesur; os oeddech chi'n aros mwy na phum eiliad, diwerth oeddech chi. Roedd y fath blant yn cael eu curo, eu diarddel, neu eu treisio. Fe fyddai Rhingyll Matu'n dweud, bob amser, 'Un eiliad o oedi ac mae pymtheg bwled yn dod atoch chi, deall? Yn y frwydr, does dim amser i ymgynghori â'ch nerfau.'

Yn ystod yr wythnosau cyntaf ar ôl difa ei deulu, roedd Kaninda wedi aros gyda phlant stryd Lasai, heb ddilyn y teuluoedd Kibu truenus ar eu taith. Pan fydden nhw'n cyrraedd y ffin, dim ond cael eu lladd gan ryw lwyth arall fydden nhw. Ond roedd pobl amddifad wedi bod yn ninas Lasai erioed: yn driwant, yn ffoaduriaid, y rhai oedd yn alltud o fywyd. Ac i rywun fel yna, diwedd y gân oedd bod yn blant y stryd, oni bai eu bod nhw'n barod i fynd at y cenhadon a rhoi eu bywydau i'r Arglwydd Iesu. Ac roedd Kaninda wedi addunedu na fyddai'n rhoi'i fywyd ond i un peth yn unig – dial am farwolaeth ei fam, ei dad a Gifty fach. Bod yn alltud oedd yr unig beth allai'i wneud. Felly, dilynodd, ymunodd â'r rheiny, a rheolodd y strydoedd gyda nhw – un fraich yn llipa nes i'r clwyf ddechrau gwella, nes i'r ymarferion a wnaeth gyda'i gyhyr ddechrau dangos nerth eto. Nes iddo fedru dwyn bwyd, neidio ar ddynion busnes Yusulu er mwyn cipio'u sbectol,

neidio i gar heb G y llywodraeth; roedd yn un o'r giang o
blant caled oedd yn colli ac ennill aelodau newydd o un
dydd i'r llall – rhywun yn cael ei arestio, rhywun yn sâl,
yn marw, rhywun wedi'i saethu ar ôl bod yn ysbeilio.

Ymosodiad ar y swyddfa bost roddodd y cyfle iddo
redeg i'r cyfeiriad cywir. Roedd llywodraeth yr Yusulu
wrthi'n gosod ceblau system telathrebu newydd, gyda ffos
yn rhedeg hyd Ffordd Lebonga o'r swyddfa bost i'r mastiau
trosglwyddo ar y bryn. Roedd ffosydd newydd yn cael eu
tyllu bob dydd, a'r llygod mawr yn eu darganfod: pethau
glanach na biniau sbwriel a'r gwter i gysgu ynddynt.

Un noson ddi-leuad, ymosododd platŵn o'r rebels Kibu
ar y swyddfa bost gyda grenadau wedi'u clymu wrth
slingiau. Aethant ar hyd y brif ffos ar eu gliniau, gan gael
gwared â phlant y stryd fel y llygod mawr; ond roedd
Kaninda wedi gwthio'i hun i mewn i ddarn o bibell carth-
ffosiaeth, ac nid oedd amser ganddo i symud.

Gorweddodd yno gan ddal ei wynt a'i gorff yn dynn,
wrth i'r platŵn rebels sefyll ar air y gorchymyn, a thaflu
eu grenadau.

'Ar eich traed. Pin allan! Dal – un, dau. GO!'

Taflodd y milwyr eu grenadau i lygad y ffynnon, naw
o bob deg yn mynd trwy'r ffenestri at y targed. Yna,
gorweddasant yn wastad yn erbyn daear noeth y ffos,
gan orchuddio'u pennau wrth i wydr hedfan, daear boeri,
drymiau clust fyrstio, a'r ddaear grynu. Ar y gorchymyn,
brysiodd y milwyr i ffwrdd, gan gropian i ochr arall y ffos
ac i mewn i'r tryc oedd yn aros amdanynt.

Ond, wrth i'r cerbyd ruo tua'r gwyll, cyfrodd y rhingyll ei ddynion a darganfod fod ganddo un yn ormod.

'Pwy wyt ti?'

'Kibu.'

'Enw?'

'Kaninda Bulumba.' Nid peth hawdd i'w ddweud â bŵt yn pwyso yn erbyn ei wddf. Ond gallai chwifio'i fraich â'i graith ar y dyn. 'Pawb wedi eu lladd gan yr Yusulu...'

'Tithe heb dy ladd chwaith?' Cododd y bŵt o'i bibell wynt.

'Taswn i, mi fyddech chi'n siarad efo ysbryd!'

Roedd y tryc yn mynd yn herciog ac yn gyflym, y gwyll a'i gysgod yn agos, y swyddfa bost yn ôl yn Lasai yn llosgi'n oren ac yn ddu yn yr awyr. Felly, efallai mai gorfoledd yr ymosodiad llwyddiannus achosodd i Rhingyll Matu chwerthin ar y bachgen digywilydd. Neu efallai iddo weld y tân yn llygaid Kaninda.

'A beth wyt ti'n 'i wneud yn y tryc hwn?'

Gadawodd Kaninda i sefyll. 'Rydw i am fod yn filwr Kibu. Rydw i am ladd Yusulu.' Nid isio ond am wneud hynny.

Rŵan daeth y cyfle i wneud hynny. Roedd deg metr rhyngddo fo â charcharor wedi'i glymu i bostyn.

'Mae'r dyn hwn wedi treisio, llosgi a saethu pobl Kibu,' brathodd Rhingyll Matu.

Gwelodd Kaninda ei dad a'i fam yn eu pentwr gwaed-wlyb ar y llawr, gwelodd Gifty lle'r oedd ei chorff wedi llithro o'r wal. Aroglodd oglau llosgi cnawd yr athrawon

Kibu yn ei ysgol. Llanwodd ei geg â phoer blas gwaed.
'Arf!' brathodd Rhingyll Matu. Rhoddwyd yr M16 yn
nwylo Kaninda. Roedd o'n drwm, fel teipiadur ei dad.
'Rydw i'n rhoi'r gorchymyn ac rwyt ti'n saethu!'

Crymodd Kaninda'i ben.

'Tania!'

Ac o fewn tair eiliad roedd Kaninda wedi codi'r arf,
anelu a thynnu'r glicied. Ciciodd yr M16, synnwyd o
gan y sain, neidiodd y baril i fyny ac i'r dde, ei sawdl yn
rhwygo ei gyhyr gwan – ond o weld sut roedd corff yr
Yusulu wedi plycio yn erbyn ei bostyn, roedd yn amlwg
fod y taniad cyntaf wedi'i daro. Cadwodd Kaninda ei fys
yn barod; roedd yn rhaid iddynt dynnu'r arf oddi arno –
safodd y carcharor yn syth a thynnu'r sach o'i ben ei
hunan. Nid oedd wedi'i glymu o gwbl. Blancs oedd yn y
gwn. Ac fel dyn marw ar ei draed, cerddodd at Kaninda.

'Da,' meddai, 'fe gei di fwyta.'

A dyna'r gwahoddiad. Roedd Kaninda yn filwr y
gwrthryfel.

Roedd fel petai Theo erioed wedi clywed y gair 'na',
fel tasai ei ymennydd heb adnabod y gair. Roedd ei
fraich yn dal am ysgwydd Kaninda, yn ei hebrwng
o'r Barrier heibio parc chwarae'r plant – y sgwariau
o raff a chlymau yn hongian fel maes hyfforddi bach
Kibu – ac yna drwy'r ystâd lle'r oedd Laura wedi
mynd ag o at yr afon y tro cyntaf.

'C'mon. Mae gynnon ni amser am rywbeth gwlyb.'

Chwaraeodd Kaninda ei gêm. Nid nofio fyddai'r rhywbeth gwlyb, ond gallai fod yn ddiod neu'n biso. A'r ddau hynny'n ocê.

Aethant heibio cornel wal wedi'i pheintio'n gyfan gwbl â geiriau a dyluniadau, i ganfod eu hunain wyneb yn wyneb â phlismon.

'Helô, fechgyn.'

'Sut mae?!' Ond nid oedd Theo am aros.

'Oi!' cydiodd y plismon ynddo gerfydd ei ysgwydd. 'Dwi eisiau gair.'

Cydiodd Theo yn ei ysgwydd yntau a griddfan fel rhywun hawdd ei gleisio. 'Gair? Dyna handi – dwi'n gwybod cant a mil ohonyn nhw. Rho dy hoff lythyren i mi, ac mi wna i ddewis gair jest i ti...'

Caeodd Kaninda ei lygaid. Roedd hyn fel yr ysgol. Yn Ninas Lasai – hyd yn oed cyn y rebeliaid – fe fyddai Theo wedi cael ei bytio i'r llawr â bôn reiffl am fod mor ddigywilydd.

'Gair?' Gollyngodd y plismon o. 'Dyma un. "Coch". "Car coch".'

'Ti'n twyllo, *man*! Mae hynna'n ddau. A ti ddewisodd nhw i fi.'

'Na, eu gofyn nhw ydw i, boi.' Roedd y plismon yn hŷn na thad Kaninda. Yn ôl yn Lasai, tu ôl i ddesg fawr y byddai'r plismon, nid allan yn patrolio'r ddinas. 'Wyt ti wedi gweld car coch?'

'Llond strydoedd ohonyn nhw!'

'Heb blatiau?'

Meddyliodd Theo am eiliad cyn ysgwyd ei ben fel pe bai hynny'n beth ofnadwy o anghyfreithlon – y math o beth na fyddai byth yn ei weld.

Safodd Kaninda'n gwylio, ei lygaid yn ddau hollt mwy main nag a fyddai ganddo ar ochr bryn pan oedd o ar ddyletswydd gwyliadwriaeth. Roedd Theo *wedi* gweld y math yma o gar, roedd Kaninda wedi gweld y fath gar; brawd Theo oedd perchennog y fath gar, ac roedd Kaninda wedi taflu'r fath blât i'r mwd. Felly?

Trodd y plismon ato. 'Beth amdanat ti?'

Holiad. Edrycha i lawr, paid â rhoi dim byd i gychwyn, gwna dy fol yn galed gan mai yno y byddai'r ciciau'n glanio pan gychwynnai hwnnw er mwyn gwneud i ti siarad – petaen nhw wedi bwriadu dy lladd di o'r cychwyn cyntaf, fyddet ti ddim yn dal i sefyll yno. Yna gwanhau. Dweud rhywbeth ffals ond credadwy, ond peidio byth â gwybod y manylion, ond gwna'n siŵr fod gen ti rywbeth i ddangos iddyn nhw: rwyt ti angen gweld yr adeilad, adnabod y goeden neu gerdded y llwybr tan i ti ddod ar draws rhywbeth i ysgogi atgof ynddyn nhw – a hyn i gyd yn rhoi cyfle i dianc. Arweinia nhw ar gyfeiliorn cyn hired ac y medri, gan eu bod nhw'n mynd i dy ladd di beth bynnag yn y pen draw...

'Mae o jest—' dechreuodd Theo.

'Fe geith o siarad drosto'i hun!' Syllodd y plismon i lawr ar Kaninda, ond synhwyrodd Kaninda fod gan Theo fwy o angen gwybod beth oedd o am ei ddweud.

'Newydd. O Lasai, jyst,' meddai Kaninda, gan ysgwyd ei ben. Beth allai rhywun newydd, â dim ond bratiaith, wybod am y lle hwn a lliw ei geir...?

Roedd y plismon yn edrych fel ei fod o'n barod i symud yn ei flaen pan ddaeth llais rownd y gornel.

'Does gen i ddim drwy'r dydd, dwi'n gweithio am un o'r gloch.'

Y ddynes Lydia oedd yno, yn dod allan o'r fflatiau o flaen plismon arall, iau. Gwelodd Theo.

'Theo, dwyt ti ddim yn yr ysgol?'

Cyffyrddodd Theo mewn mannau ar ei gorff. 'Na, mae'n teimlo fel 'mod i yma. Mae'n amser cinio.'

'Paid â bod yn hwyr. Dwi ddim isio marciau hwyr ar dy broffil di!' yna, brathodd yn sydyn ar y plismon oedd wedi dod gyda hi. 'Oes gen ti warant?'

'Warant?'

'Ro'n i jest yn meddwl – os wyt ti isio chwilota yn rhywle, rhaid i ti gael gwarant, tydw i ddim yn iawn?' Safodd â'i phen yn ysgwyd fel modur bach.

'Dim ond ar gyfer chwilota ffurfiol.'

'Felly, tydi hyn ddim yn ffurfiol? Wel, felly—'

'Ylwch yma Miss, rydych chi'n ein helpu ni.' Yr hynaf o'r ddau oedd yn siarad rŵan. 'Mae pobl leol yn dweud fod gennych chi gar coch...'

Ychwanegodd yr un iau, 'Ydych chi'n cyfaddef bod yn berchen ar gar coch?'

'Cyfaddef? Fel bod hynny'n drosedd o ryw fath?'

'Na, pwt. Dyna'r pwynt. Mae gennych chi gar coch, 'dach chi'n gadael i ni 'i weld o, 'dan ni'n mynd o'ma, 'dach chi'n cael eich dileu o'r ymholiad...'

Dechreuodd Theo ganu. 'Di-leu, dyna enw'r gân...'

'Neu mi gawn ni warant, dod yn ôl, a gwastraffu dwywaith cymaint o'ch amser chi a'r holl arian cyhoeddus.'

Gwgodd Lydia. 'Felly, *be*'n union ydych chi'n chwilio amdano fo?

'Mi fyddwn ni'n gwybod. Jest dangoswch o i ni, e? Dyna garedig—'

Ond roedd Lydia'n cerdded i ffwrdd at y garej dan glo gan estyn pwrs bach lledr o'i phoced.

Cafodd Kaninda ei daro, y foment hon, gyda'r synaid nad oedd y Lydia yma'n gwybod beth oedden nhw'n chwilio amdano. Roedd o a Theo'n gwybod, yn amlwg, o sgwrs y plismon hwn, ond nid oedd hi. Roedden nhw'n mynd i ddarganfod car coch heb blatiau, a dim ond car coch roedd hi'n gwybod amdano. Er hynny, ddydd Sadwrn, roedd hi wedi cloi car fel hwnnw...

Edrychodd Kaninda ar Theo, gan ddeall fod y ddau'n meddwl yr un peth. Roedd hi'n mynd i agor y drws a datgelu'r union beth roedd y ddau blismon yn chwilio amdano.

'Hey, Lyd!' gwaeddodd Theo.

'Be?' oedodd, â'r allwedd yn y clo.

'Lle Mal 'di hwnna, cariad. Mal sy'n talu'r rhent. Rhaid iddo fo roi caniatâd...'

Syllodd Lydia ar Theo, gan bendroni'r syniad.

'Dewch o'na, Miss.' A throdd y plismon hwn yr allwedd a chodi'r drws i fyny i'r nenfwd.

Clywodd Kaninda ochenaid Theo, dim ond ochenaid addfwyn, rhywbeth preifat ar ei gyfer o'i hunan yn unig.

I fyny â'r drws mawr metel, i lawr â'r llygaid i lle'r oedd y platiau yn mynd i fod ar goll – at y car coch wedi'i roi o'r neilltu'n dwt, gyda phlatiau cyfreithiol yn edrych fel petaent wedi rhydu i'w lle.

Edrychodd y plismon ar ei lyfr nodiadau i wirio'i ffeithiau. 'Malcolm Julien, perchennog cofrestredig. Diolch, Miss. Chi'n gweld – dyna'r cwbl 'dyn ni'n ei wneud.'

'Dim ond eich job, ynte?' meddai Theo.

Ond teimlai Kaninda y byddai Theo wedi medru dawnsio a chanu'r geiriau; roedd ei gam yn ysgafn wrth fynd yn ôl i'r ysgol, troed chwith mewn parti, troed dde mewn dathliad. Sgipiodd mewn cylchoedd o gwmpas Kaninda, wrth ei fodd.

'Milwr da, malwr awyr da – brawd i'r Barrier wyt ti, Ken...'

'Na,' meddai Kaninda, gan gamu yn erbyn rhythm Theo. 'Milwr Kibu. Milwr Kibu wedi'i gipio.'

PENNOD SAITH

Roedd y bwyd yn wahanol, ac mae dicter yn gwneud treulio bwyd yn anodd – felly teimlodd Kaninda boen yn ei frest a blas chwd yn codi. Roedd ei deulu wedi arfer eistedd wrth y bwrdd gyda'i gilydd gan fwyta tamaid bach o hwn a'r llall: plantain, ffa a phys, reis, tatws melys hir, cnau daear, cassava, pysgod weithiau, cig dro arall– a phob tro, rhyw-beth oedd wedi cymryd amser i fam Kaninda ei baratoi. 'Dwi ddim yn ymlafnio i baratoi bwyd er mwyn i chi syllu arno fo,' fyddai hi'n ei ddweud wrth Gifty, oedd yn bwyta fel aderyn bach. Ac fe fyddai sgwrsio. Roedd bwyd yn fwy na bwyd, roedd hefyd yn gyfle i fod gyda'i gilydd, nhw ill pedwar. Ond yma yn Llundain, roedd Mrs Capten Betty Rose yn tynnu pecynnau allan o'r rhewgell, eu gwthio i'r popty ping ac yn gweini'r bwyd yn y gegin, yntau a'r ferch yn eistedd fel petaent yn ddau berson wrth gownter cafe matoke: darnau iâr mewn cyri dyfriog, tships a ffa o dun. I yfed roedd dŵr tap. Yn Lasai roedd blas chwerw i'r dŵr, ac ni fyddai rhywun a allai fforddio gwell yn ei yfed. Roedd tad Kaninda'n yfed cwrw ac roedd Seven-Up i'r gweddill: pan oedd Kaninda'n fachgen oedd hynny, cyn i ddŵr afon fod yn gawl-milwr iddo.

'Cyfleustra!' meddai Capten Betty wrth Kaninda, gan lwmpio plât oer o'i flaen. 'Dydd Sadwrn, mi gwcia i bysgodyn Seychelles a chyri cnau coco, ond wythnos yma, mae Duw wedi fy ngwneud i'n *brysur*. Moliant yn wir!'

Bwytaodd Kaninda'r bwyd fel pe bai'n cyflawni tasg; gan fod angen rhoi cnawd ar ei freichiau, angen cryfder yn ei goesau, caledi yn ei gyhyrau. Petai rhywun yn gadael bwyd ar ei blât yn y gwersyll Kibu, roedd Rhingyll Matu yn ei gosbi. *'Gall dy ddiffyg cryfder di gael ei dalu mewn gwaed, ti'n deall?'* Fo oedd yn iawn, bob tro; a rŵan roedd angen ei holl rym ar Kaninda os oedd o am fynd yn ôl i Lasai; i nofio yno os oedd rhaid.

'Tria fo – i weld be ti'n feddwl!' meddai Capten Betty, gan dynnu ei ffedog.

Edrychodd Kaninda ar ei blât gwag. Roedd wedi'i fwyta, heb ei flasu. Edrychodd ar y wal, ei du mewn yn gwthio i lawr ar bigyn poeth o wynt.

'Gallwn ni dy sortio di efo dillad nes ymlaen...'

Roedd hi'n siarad am y lle roedden nhw ar fin mynd iddo, pob un ohonyn nhw; y ferch Laura – yn gwisgo iwnifform yr eglwys fel y ddynes – a'r dyn. I Filwyr Bychain Duw. Rhegodd Kaninda'n fewnol.

Roedd o'n casáu'r eglwys, popeth yn ymwneud â'r eglwys. Y lleisiau oedd yn rhannol gyfrifol am ei anfon allan o'r eglwys y diwrnod o'r blaen, lleisiau'r menywod yn harmoneiddio fel llais ei fam a Chwiorydd Eglwys yr Apostol – ei llais hi'n taro'r nodau uchel bron mor uchel fel ei sŵn hi'n sgrech-ian. Fel roedd ei dad wedi sgrechian... Ond roedd o'n deall ufudd-dod; pe bai'n dechrau rhedeg at yr afon bob tro roedd cyfarfod Milwyr Duw, yna bydd-ai'n cael ei gloi yn ei ystafell. Felly rhaid oedd llowcio ei fustl ac ufuddhau hyd nes i'r amser gyrraedd.

'Peiriant golchi llestri!' meddai Capten Betty. 'Anrheg a hanner i bobl brysur, diolch i Dduw.'

Ufuddhaodd Kaninda, gan lwytho'i blât, ei gyllell a'i fforc i'r peiriant.

'Brwsia dy ddannedd, rŵan.'

Ufuddhaodd eto: carcharor di-gŵyn. Gwyddai fod Mrs Capten Betty Rose yn ysgwyd ei phen i gyfeiriad y ferch, y tu ôl iddo – ysgwyd ei phen ar y bachgen bach anniolchgar hwn roedden nhw wedi dod adre gyda nhw o Affrica. Ond nid oedd ganddo unrhyw un i ysgwyd ei ben *o* arnyn nhw mwyach, dim un enaid byw i wincio atynt, nac i dynnu wyneb gwirion arnyn nhw. Roedd ei fasg wedi'i weldio i'w le: milwr Kibu, un caled a chryf.

Beth bynnag am Kaninda, roedd Laura'n ufuddhau i bob plwc yn llygad ei mam. Yn ei chyflwr hi, o dan gymaint o straen, roedd hi'n anadlu drwy sugno aer mewn pytiau siarp a chyflym, yn dal ei hanadl yn glympiau fel syrpreis, bob un. Mae'n rhaid mai'r euogrwydd oedd yn codi y tu mewn iddi. Roedd hi'n cael ei dal ar adegau lletchwith ganddo, pan oedd rhaid iddi drio ei gorau glas i beidio ag ochneidio a datgelu'r gwir. Ym mhob rhan o'i bywyd, rŵan, roedd hi'n ferch dda, math Duw o dda. Roedd gwisgo dillad isa rhywiol yn gyfrinachol allan o'r cwestiwn. Felly hefyd ei breuddwydion o nofio'n noeth ym môr y Seychelles, rhedeg hyd ei draethau gwyn at fachgen fel Theo yn aros amdani, dringo coed am gnau coco, dal crancod tir, plethu ei gwallt â blodau tegeirian – a gorwedd ar y tywod a chael ei chusanu: yr holl syniadau rebel yna o baradwys yn cael eu dileu o'i meddwl yr eiliad roedden nhw'n ymddangos. Roedd nosweithiau ofnadwy a di-gwsg, gyda dim byd ond Duw a'i heuogrwydd yn dweud wrthi fod y breuddwydion yn ddrwg, yn anfad. Roedd bywyd wedi dychwelyd i fod yn iwnifform smart, dyletswydd, ofni Duw a'i foli Ef, gofyn iddo am faddeuant am y peth dychrynllyd roedden nhw wedi'i wneud. Ta ta rhyddid, roedd bod yn Filwr Bychan Duw unwaith eto yn ddechrau newydd i fywyd – ac roedd hyn i gyd wedi digwydd mewn un chwap, mewn un sbyrt yn y car.

Roedd rhai selog a rhai achlysurol ym Milwyr Bychain Duw. Roedd gan y rhai selog eu crysauchwys coch ac aur gyda baner MB wedi'i frodio arnynt; bathodynnau'n rhes i lawr eu breichiau i ddangos lle'n union yn y rheng oedden nhw – cleddyf efydd, arian, aur – Milwyr Iau yn martsio tua'r bathodyn roedd Laura'n ei wisgo: y Darian Blatinwm o Ffydd. Roedd gan y cerddorion yn eu mysg – hyd yn oed y rhai oedd ond yn dal ratl a thambwrîn – delyn aur ar y fraich arall.

Yna roedd y rhai fyddai'n dod yn achlysurol, fel Jackson bach. Rhain oedd y plant oedd eisiau bod yn rhan o rywbeth ond eto ddim yn siŵr os oedden nhw am fod yn rhan ohono o un wythnos i'r llall; y rhai di-addewid heb unrhyw awydd i fod yn aelod o rywbeth oedd yn golygu gwneud addewid i Dduw – neu fwyta pry genwair neu biso o falconi – i fod yn aelod. Roedd rhai yno er mwyn bod mewn neuadd gynnes yn y gaeaf ac er mwyn y gwledd-oedd yn yr haf, y rhai oedd yn mynd a dod na fyddai Capten Betty byth yn eu gwahardd tra bod cyfle iddi eu dwyn i mewn o dan adain clwb Iesu Grist.

Er bod Capten Betty a'r oedolion eraill yno, cyfrif - oldeb Laura oedd Milwyr Bychain Duw a heno roedd hi wedi paratoi'i gweithgareddau â mwy o galon nag arfer. Hyn i gyd i achub ei henaid. Heno, ar ôl gweddi bwerus, roedd hi wedi cynllunio helfa drysor wedi'i wneud o eiriau wedi'u sgramblo oedd yn eu harwain o un man i'r llall. Ar ôl datrys y pôs sgrambl, roedd yn rhaid i bob tîm ysgrifennu eu geiriau ar glipfwrdd cyn symud ymlaen i'r nesaf. Doedd dim llwybr brys. Dim modd dilyn y tîm cyflymaf. Dim twyllo. Y wobr ar gyfer y tîm buddugol – ac roedd pob un wedi gorfod dechrau mewn mannau gwahanol cyn taclo'r tri olaf – oedd Beibl clawr meddal.

Safodd Kaninda wrth yr ystafell ymgynnull, heb ymuno â'r grŵp. Anwybyddodd y ferch o, gan fynd i'r afael â chynorthwyo pob tîm, felly unwaith roedd y chwalu a'r gweiddi wedi cychwyn, gadawodd Kaninda'r ystafell gan fynd tua chefn yr adeilad lle'r oedd yr Is-Gapten Peter yn gludio hen gadair simsan yn ôl at ei gilydd.

'Kaninda, wnei di ddal hwn?'

Heb yngan gair wrth y dyn, a heb hyd yn oed edrych arno, daliodd Kaninda yn y gadair tra bod y glud yn cael ei wasgu i'w le; a daliodd y cadeiriau eraill oedd angen sylw hefyd, pob un, eu dal heb yngan gair.

Am ugain munud collodd Laura ei hunan yng ngwaith Milwyr Duw, yn union fel roedd pethau wedi arfer bod cyn iddi gymryd trywydd rebel. Y fath ffŵl roedd hi wedi bod! A'r fath gosb roedd Duw wedi'i daflu arni – a rhoi bywyd merch fach yn y fantol! Ond efallai, tra'i bod hi'n gwneud gwaith Duw, roedd Ef yn gwella a gwella'r ferch fach. Rhag ofn iddo weithio, roedd hi'n rhoi'i holl galon yn nhrefniadau'r helfa drysor, gan ddangos amynedd Duw i Jackson bach oedd ar bigau'r drain gan nad oedd o'n ennill.

'Paid byth ag ildio, Jackson. Efallai mai ti fydd ar y brig y tro nesa'...'

'Fydda i ddim 'ma tro nesa!'

Popeth yn mynd rhagddo fel arfer – tan hanner ffordd drwy'r sesiwn pan gyrhaeddodd Sharon. Dim aelodaeth ganddi, wyneb heriol yn edrych i mewn i'r ystafell, yr union beth i dynnu sylw'r Capten Betty.

'Tyrd i mewn, os wyt ti isio. Wyt ti isio bod yn rhan o'r hwyl?'

Edrychodd Sharon ar y plant yn sgrialu o gwmpas y neuadd. 'Hwyl?'

Roedd Sharon yn fwy achlysurol na'r rhai achlysurol fyddai fel arfer yn troi'r drol a tharfu ar beth bynnag oedd wedi'i drefnu. Gallai Laura wneud heb Sharon, unrhyw awr o'r dydd. Ond daeth y ferch ymhellach i mewn i'r ystafell gan bwyso yn yr union fan lle'r oedd Kaninda wedi bod, gan wylio'r plant yn ceisio datrys y pôs a glaswenu. 'R.D.W.S. *Drws* 'dio, ynte! Mi wela i o, o fan'ma.' Llaciodd brwdfrydedd rhai o'r plant gan fod gair Sharon yn cario pwysau; gwyddai Laura fod yn rhaid iddi ddenu Sharon i mewn i'r gêm yn iawn neu gael gwared ohoni.

'Wyt ti eisiau bod yn rhan o dîm?'

Cododd Sharon ei hysgwyddau.

"Di ddim yn rhy hwyr. Ac mae gwobrau.'

'Mi ddwedodd hi hynny. Pa un sy'n ennill, 'te?'

'Fedra i'm dweud.'

Cododd Sharon ei hysgwyddau eto. Oedodd Laura.

'Pa mor bell w' ti'n mynd?' gofynnodd Sharon.

'Mae deg cliw...'

'Na, pa mor bell est ti dy' Sadwrn. Yn y car.'

Roedd Sharon wedi datrys pôs Laura mewn un gwynt. Llifodd ton o ofn trwyddi a chorddodd ei stumog. Tynhaodd coler ei iwnifform.

'Pa gar?'

'Ro'n i'n meddwl bo ti i fod i ddweud y gwir mewn lle fel'ma?' Edrychodd Sharon i fyw llygaid llun o'r Arglwydd Iesu.

'*Baner.* Ydi'r ateb yn iawn?'

Edrychodd Laura ar ei rhestr atebion a chytuno.

'*Banana* ddwedodd o. Prat!'

'Does dim bananas yma.' Roedd llais Laura yn denau nes bron a bod yn absennol.

'Roeddet ti yng nghar Mal, efo Theo.'

'O! Do, mi wnaethom ni eistedd ynddo fo.'

'Ie – a?

'Felly pa mor bell est ti? Sws? Dipyn bach o chware gwmpas?'

'Sssh!' Ond chwarddodd Laura: clegar mawr ei rhyddhad. Dyna beth oedd hi'n ei feddwl! Nid sôn am *bellter* oedd hi, na dreifio, ond cusanu a mela. Roedd Laura'n siŵr nad oedd plant wedi bod o gwmpas pan yrrodd Theo ymaith. Roedd wedi gwneud yn siŵr o hynny.

Plyciodd ei hunan allan o'r sgwrs fudur gan ddweud, 'Y grŵp yna. Un Claudette. Nhw sy'n ennill.'

Felly ymunodd Sharon â hwnnw ac ennill Beibl iddi hi'i hunan.

Yn ôl yn Ysgol Uwchradd Katonga, dysgu ei wersi yr oedd yr Athro Setzi wedi'i wneud a dim arall. Yn wahanol i ysgol y llywodraeth yn Lasai, roedd gan ysgol y pwll lyfrau a desgiau a lle i'r athro symud yn y dosbarth. Ond ni wnai hynny. Eisteddai ym mlaen yr ystafell neu safai wrth y bwrdd du a *dysgu*. Eisteddai Kaninda a'r gweddill yn eu lle a dysgu: neu fe fyddai'r Meistr Mawr yn dod i roi cymorth iddyn nhw! Yr Athro Setzi oedd eu hathro a hwythau oedd ei ddisgyblion, ond os nad oedden nhw'n dysgu, nid ei fai o oedd hynny ond eu bai nhw. Yma yn Llundain ar y llaw arall, roedd Miss Mascall yn gwneud popeth *ond* dysgu. Dosbarthai lythyrau am rywbeth roedd hi'n ei alw'n 'drip', rhoddai ddiwedd ar unrhyw ymrafael, gwaeddai, galwai am y dirprwy brifathro, gorchmynnai'r merched i godi eu sanau allan o'u hesgidiau fel bod modd eu gweld, ac anfonai'r bechgyn i dycio'u crysau i mewn yn iawn. Roedd Miss Mascall yn y Grŵp Tiwtorial yn ymwneud â phopeth, ond dysgu.

Ar yr amserlen, roedd hi hefyd yn dysgu Daear-yddiaeth a Hanes. Heddiw, dydd Mawrth, oedd y cyntaf o'r gwersi hynny: Daearyddiaeth. Roedd Kaninda wedi breuddwydio'i freuddwyd am Gifty eto, ond y tro hwn roedd ei chorff wedi'i gario gan chwyrliadau dŵr afon y boi Theo yna; yr un hen Gifty, y Gifty ddi-dwll dlos; ond cafodd ei sugno o dan y dŵr, ac ar ôl teimlo tap ar ei ysgwydd – tap roedd Kaninda wedi meddwl oedd gan Theo – trodd i weld ei hwyneb anferth, drwyn wrth drwyn.

Roedd wedi gorwedd yno, wedi dychryn am ei enaid. Rŵan, y bore hwn, ac yntau o dan bwysau euogrwydd y ffaith ei fod o hyd yn fyw, gallai Kaninda o leiaf leihau'r baich drwy bori drwy lyfr mapiau yn y wers Daearyddiaeth: cynllunio ychydig. Ond yr unig beth roedd yr athrawes yn ei drafod oedd 'y trip'. Rhoddodd lythyr iddo yn ei gylch. Gofynnodd iddo wneud yn siŵr fod ei fam faeth yn ei ddarllen. *Ei fam faeth!* Nid oedd ganddo unrhyw syniad sut y llwyddodd i beidio â throi'i ddesg â'i phen i waered ar ben yr athrawes.

Ar ddiwedd y wers, gofynnodd hi iddo aros ar ôl, gan ddweud wrtho sefyll wrth ei hochr. Roedd hi'n ddynes ifanc fawr, lawer iau na Mrs Capten Betty Rose, a gwallt coch pigog ganddi. Edrychodd arno'n sefyll gyda'i ddwylo y tu ôl iddo, yn union fel y byddai'n ei wneud i'r Athro Setzi.

'Popeth yn ocê, Kaninda?'

Roedd o'n deall 'Ocê'. Roedd y rhan fwyaf o bethau yn Katonga a Lasai un ai'n 'ocê' neu'n 'ddrwg ocê'. Roedd Kibu yn 'ocê' roedd Yusulu yn 'ddrwg ocê'. Roedd y gwersyll Kibu yn 'ocê' a Llundain yn 'ddrwg ocê' mewn ffordd ddifrifol.

Syllodd yn ôl.

'Wel, dwi'n meddwl 'mod i'n mynd i wneud pethau'n hyd yn oed yn fwy ocê i ti...'

Anadlodd yn ddwfn; ochenaid hir o anadlu i mewn. Sut fath o siarad gwirion oedd hyn? Oedd hi'n mynd i'w roi ar awyren a'i anfon adref i ymladd y rhyfel yn Lasai? Hynny a dim ond hynny fyddai'r unig 'ocê ' yn ei fywyd.

'Ti yw'r person cyntaf i ni o Lasai, ti'n gwybod hynna? Dwi mor falch o dy gael di yn fy ngrŵp tiwtor i. Rwyt ti'n siŵr o ddysgu lot i mi.' Roedd hi'n chwilota am rywbeth yn ei bag, ond nid am docyn awyren, dim ond crib i grafu ei phen. 'Ond dechreuodd bachgen arall o Lasai heddiw. Rŵan—' syllodd i fyw ei lygaid – 'mae'n Yusulu, nid Kibu...'

Yn barod, teimlai Kaninda wres yr awydd i ladd yn berwi y tu mewn iddo.

'... Ond gallai fod o gysur, gan ei fod o *yn* dod o Lasai. Os wyt ti eisiau dechrau bywyd newydd yma yn Llundain – y genhedlaeth iau yn gwneud yn well na'u tadau...'

Diflannodd llygaid Kaninda'n ddau hollt saethwr.

'Ond mae o yma, wedi cofrestru yn yr ysgol, felly rydyn ni'n mynd i'w gyfarfod o.'

O fod yn berwi, roedd Kaninda wedi troi'n ym-laddwr oer: tywalltodd ei waed i'w graidd, cododd ei groen yn lympiau, cesail ei forddwyd yn dynn. Dilynodd Miss Mascall wrth iddi'i arwain allan o'r dosbarth ac i lawr y grisiau carreg mawr.

'Wedi'i achub gan ymgyrch y Groes Goch mae o,' meddai Miss Mascall. Trodd y ddau gornel a mynd i mewn i'r coridor, oedd yn wag ond am fachgen oedd yn eistedd y tu allan i ystafell y Pennaeth Blwyddyn, yn edrych ar ddim byd yn benodol. Lliw Affricanwr arno; dillad ysgol Llundain amdano.

'Reit.' Edrychodd Miss Mascall ar y ddau, gan ddweud yn gadarn, 'Rydych chi'ch dau yma i gael dechrau eto...'

Syllodd Kaninda ar y bachgen, syllodd y bach-gen arno fo. Nid oedden nhw o'r un taldra; roedd Kaninda'n dalach.

'Dyma Kaninda Bulumba. A dyma Faustin N'gensi.'

Dim ond chwarter eiliad oedd gan y bachgen i godi'i wyneb at Kaninda cyn iddo gael ei daflu dros gefn y gadair gan chwip cyflym ymosodiad Kaninda, un trawiad ffyrnig gydag ochr galed ei law at gorn gwddf y bachgen – mynd at y bibell wynt gyda bysedd guerila.

'*Lladd Yusulu!*' gwaeddodd Kaninda, gan chwip-io'i ben yn ôl er mwyn bytio'r trwyn. '*Lladd Yusulu!*'

Ond roedd Miss Mascall arno, ac yn gweiddi, yn ceisio'i dynnu'n ôl. Cyn iddo gael cyfle i ladd Faustin N'gensi, roedd wedi'i lusgo a'i ddal mewn cwlwm breichiau gan danc o athro.

'Oi! A be mae o 'di 'i wneud i ti?'

Rhedodd eraill atyn nhw, ac er hyfforddiant Kaninda i ddelio ag ymrafael un-wrth-un, roedd gormod ohonynt iddo dorri'n rhydd. Aeth yn stiff drosto, yn llonydd, a chadwodd ei egni tan y cyfle nesaf. Wrth i Faustin N'gensi gael ei godi ar ei draed, gwnaeth siâp rhyw eiriau – cais am noddfa rhag y bachgen gwallgof hwn.

'Kibu ydio! Dwi'n Yusulu.'

'A? Mae'r ddau ohonoch chi'n ddisgyblion Ysgol Gyfun Thames Reach tra'ch bod chi yn y fan'ma, boi.' Rhoddodd yr athro anferth oedd yn dal Kaninda un plwc arall iddo i bwysleisio hynny. Fel Rhingyll Matu gyda charcharor.

Roedd Miss Mascall yn sythu ei siaced. 'Kibu a Yusulu!' meddai. 'Dyna'n lwc ni. Dau dylwyth mewn rhyfel.'

'Fel petai dim digon o hynny yma'n barod!' meddai'r dyn. 'Does gen i'm syniad pwy ddylai fod yn ymofynwyr noddfa, nhw neu fi!' Trodd pen Kaninda i'w wynebu. 'Felly rwyt ti'n gadael dy ryfel yn Affrica – wyt ti'n fy neall i?'

A phoerodd Kaninda.

*

''Be sy'n mynd 'mlaen, 'lly, *man*?'

'Be, *man*?'

'Ti'n gw'bod. Paid ârhoi sioe Eira Wen i mi. Ti'n edrych mor euog â boi'n cerdded allan o'r bath-rwm.'

'Dwn i'm am be ti'n sôn. Dwi'n lân, *man*.'

Roedd Mal wedi dal Theo lle na allai Theo ond troi a throelli, lle na allai o feddwl am ddianc – yng nghoridor y fflat rhwng y llofftydd. Roedd o'n cario bag plastic o ffonau newydd roedd wedi cael ei anfon i'w casglu a'u plygio i mewn yn y gwaith. 'Dwi'n siarad am y platiau newydd 'na wnes i orfod eu cael ar hast.'

'Wnes i erioed dwtshad dy blatiau di, onest, *man*!'

'Y car, 'te. Pam fod y modur wedi bod mor boeth wedi i mi gael swper? A be 'di hyn am y Babylon yn dod i ofyn cwestiynau wrth Lyd am y garej dan glo?'

Cododd Theo ei ysgwyddau. 'Maen nhw'n troi pob carreg, mynd o gwmpas bob man, golwg brysur arnyn nhw. Dyna be maen nhw'n ei wneud, *man*...'

'Mae rhywun 'di bod yn joio yn y car 'na, does dim sicrach.'

'Wel, dim fi. Ro'n i 'fo Laura, os ti'n cofio, ac mae hi'n un o'r rhai crefyddol Milwyr Duw – fydde hi byth yn gwneud rhywbeth drwg fel'na...'

'Wel fe wnaeth rhywun!'

'Baz Rosso, falle, mae o'n ddigon bodlon cipio rhywbeth os ydi o ar hast i fynd i rywle...'

Meddyliodd Mal am y peth. Baz Rosso oedd yn rheoli ieuenctid yr ystâd. 'Falle. Wel, os wyt ti'n clywed, dwi isio gwybod.'

'Pos-i-tif, man'

'Ac mae gen i lygad arnat ti o hyd. Pan ti'n dweud "man" fel'na, dwi'n amau pob gair arall.'

Rŵan, gwthiodd Theo heibio iddo fo at ddrws ei ystafell wely, a throdd yr allwedd yn y clo. 'Dwi'n lân, *man*, glân!' meddai trwy galedfwrdd y wal.

Siglodd Kaninda Bulumba ar y gwely, ei lygaid wedi'u cau'n dynn, ei ddwylo'n ddyrnau caled – ac yn beichio crio a chwyrnu fel dioddefwr Kibu'n gwallgofi, y rhai oedd yn cael eu drygio er mwyn cau eu cegau. Yn y fflachiadau a welai y tu mewn i'w lygaid tyn, y cyfan oll y gallai ei weld oedd wyneb ei elyn Yusulu oedd wedi dod i Lundain – N'gensi – bachgen oedd ag wyneb y tylwyth atgas oedd wedi rhwygo trwy ei deulu â'u bwledi.

Nid oedd arno angen Rhingyll Matu i roi gorch - ymyn; roedd wedi'i ufuddhau unwaith ac wedi cael ei dynnu'n ôl. Yn y dyfodol hirdymor, fe fyddai'n dal ati i aros: ond yn y dyfodol tymor byr – yfory, drennydd – nid oedd amheuaeth.

Saethodd Kaninda ar ei draed. 'Mi ladda i o! Deall?!' gwaeddodd at y wal.

Daeth Rhingyll Matu yn ôl at y platŵn gyda'r newydd-ion. Cudd-ymosodiad! Roedd gan y cyrnol adroddiadau o filwyr Yusulu yn dod o Uganda – adroddiadau da – a'u platŵn hwythau oedd i fod yn uned diogelwch.

'Yr uned ymosod fydd yn mynd i mewn, tra'n bod ni – yr uned ddiogelwch – wrth gefn. Rydyn ni'n gofalu am y tir wrth fynd i mewn ac allan, arwain, dangos i'n llongau ni lle mae'r allanfannau cyflym, saethu'r olynwyr. Dyna ni!' pwniodd Rhingyll Matu ei frest. 'Dau funud ' "saethu'n gyflym, saethu olaf, saethu a lladd"' – cogiodd saethu bwa o fwledi o'i glun.

Ar yr arwydd gyntaf o 'gudd-ymosodiad', dechreuodd gwaed Kaninda ferwi – bywyd go iawn oedd hyn, nid hyfforddiant oedd y rhyfel yma.

'Ymosod.' Roedd Rhingyll Matu'n parablu, y platŵn yn gorweddian neu'n pwyso yn erbyn bonion coed neu'n gorwedd â'u migyrnau wedi'u croesi ar y glaswellt sych, yn nodio, ie, ie. Roedd o'n gymaint o athro ag oedd Arthro Setzi, wedi cael ei hyfforddi ochr yn ochr â'r goreuon mewn rhyfel arall. 'Kibu sy'n dewis lleoliad y lladd, ond nid yn y lle mwyaf amlwg gan mai yno fyddai'r Yusulu'n eu disgwyl nhw...' tapiodd ei ben yn ddoeth, a nodio. 'Ond bydd yn rhaid i ni ymosod ar riw neu dro yn y ffordd lle maen nhw'n cael eu harafu. Saethu'r tryc cyntaf ac yna'r olaf, caethiwo'r gweddill rhwng y ddau – a'u dinistrio nhw chwap. Syrpreis! Felly, dim siarad, dim radio, dim ysmygu, dim rhechu.'

Gollyngodd rhywun rech fawr i wneud y pwynt. Ie.

'Y signal yw'r plwc ar y wifren fagl fydd wedi'i chuddio'n dda – a'r peth cyntaf ŵyr yr Yusulu fydd y bang o'r ffrwydriad cyntaf i'w taro – dim chwibanau, dim gwaedd fydd yn datgelu'r gêm...'

'Ond rydyn ni'n ôl yn fan'cw...'

Aeth Rhingyll Matu i'r llawr ar ei union. 'Ni fydd yr olaf i fynd. Byddwn ni'n anfon dynion yr uned ymosod yn eu blaenau, gadael iddyn nhw fynd, ac yn aros ar ôl i ymosod ar y goroeswyr.'

Teimlodd Kaninda ei groen yn cosi gan ofn. Tynnodd ei fys ar glicied ddychmygol, ei law chwith yn cau ger syllwr yr M16. Roedd o'n rhan o'r fyddin rebel go iawn bellach, brin oriau i fynd nes iddo gael dial am farwolaeth ei dad a Gifty fach.

Roedd casineb yn lladd diflastod bob tro. Os nad oedd Snuff na Charlie Ty awydd ymosod ar siop yn y Millennium Mall, ac nad oedd Queen Max yn ffansio gwerthu llond llaw i hen ddyn bach bys-eddog, trist yn Ffordd Ropeyard – ac felly nad oedd un geiniog ar gael i brynu 'ash' na 'rocks' na fodca – yna roedd yn rhaid bodloni ar biso drwy flwch llythyrau, sticio'r F ar ambell wal, chwalu ambell ffenestr, llosgi car, gwneud unrhyw fath o fandal-eiddio er mwyn treulio amser. Ond petai gennych chi lond bol o gasineb berw, roedd hen ddigon o reswm i dorchi llewys a mynd i rywle – a rhoi diflastod o'r neilltu'n gyfangwbl.

Dolly Hedges fach oedd y rheswm; Kaninda Bulumba oedd y targed – rhywun o batshyn Barrier oedd angen dysgu gwers ac roedd heno'n gystal noson ag unrhyw un arall.

Cafodd popeth ei gadw'n syml. Roedd amseroedd penodol i ffŷs mawr – pob un aelod o'r F wedi eu galw i mewn – ac roedd amser i ryfel breifat. Mater o dalu'r pwyth yn ôl am sarhad Charlie Ty yn iard yr ysgol oedd hi heno, ac felly gwell oedd gadael y dasg i Queen Max, Snuff a Charlie ei hunan.

'Rydyn ni i chwilio'r Barrier, gwneud yn siŵr fod y bastard du 'na ar ei ben ei hunan a gwneud yn siŵr ei fod o'n cael be mae o'n ei haeddu...'

'Pan gaiff o'i lusgo i Casualty, fydd o ddim yn goc bach mor lwcus!'

Ond nid oedd Kaninda'n byw ar y Barrier a heno roedd o ar ei wely, yn cynllunio'i ryfel ei hun, yn ei ben. Cyrhaeddodd Queen Max, Charlie Ty a Snuff Bowditch o dri chyfeiriad gwahanol a chyfarfod ar risiau'r afon, dim un o'r tri wedi cael cip o'r bachgen roedden nhw'n chwilio amdano. Heb gip o unrhyw fachgen o unrhyw fath – y ffyrdd a'r sgwariau yn hollol wag y noson honno; rhaid bod rhywbeth da iawn ar y teledu.

'Mae arno fo ofn dod allan.'

'Cachu'n ei drowsus mae o!'

Tair ceg fach sur yn plethu ar wynt sur hiwmor ddrwg rhwystredigaeth. Plygodd Queen Max ei breichiau, pwniodd y gweddill gledrau eu dwylo.

Ond ni ddigwyddodd hyn yn y dirgel. Roedd rhywun yn eu gwylio. Roedden nhw o dan wyliadwriaeth o'r foment y trodd y tri i wynebu ei gilydd ac y poerodd Snuff ar sticer Criw ar y wal.

Roedd gan Baz Rosso fflat llawr uchaf ar y Barrier, ac nid oedd *unrhyw un* yn piso yn ei lifft o. Roedd enw ei fam ar y llyfr rent – ei dad Eidalaidd wedi hen fynd i dorri gwallt pobl enwog yn Soho – ond Baz Rosso oedd brenin y fflat, o ben y grisiau, y bloc cyfan, yr ystâd. Bu enw 'Barry Rosso' ar gofrestr tair ysgol leol ac wedi'i sgwrio o'r cofrestrau hefyd, ac roedd adroddiadau'r heddlu yn dangos fod 'Barry Antony Arthur Rosso' wedi treulio amser yn Sefydliad Troseddwyr Ifanc Feltham am ymddygiad treisgar. Felly fe wyddai pawb amdano, ac roedd pawb yn cadw llygad amdano fo. Fe allai pobl gael eu derbyn fel rhan o'r Criw ganwaith ond Baz oedd yn rhoi'r Ocê i aelodaeth. Ac os oedd unrhyw un eisiau rhywbeth i'w snwffio, smocio, popio, Baz Rosso oedd yn cael gweld eu harian cyn unrhyw un arall.

Culhaodd ei lygaid yn ddau gwlwm tyn, du wrth iddo edrych ar y tri ffigwr dieithr i lawr ger camau'r afon.

'Be' 'di hyn, Barry? Rhywun yn busnesa efo'r ceir?' canolbwyntiodd Mrs Rosso ar y benbleth yng ngwefus Barry.

Ni atebodd ond symudodd i gael golwg well, â'i geg wedi'i dynnu'n laswen dynn.

'Rwyt ti'n rhy dda, Barry, yn cadw llygad ar bawb...'

'Cau hi!'

A dyna wnaeth hi.

'Hi 'di'r hwren yna o'r Ropeyard...' Yn un o dair ysgol Baz, roedd o wedi gorfodi Maxine Bendix i roi iddo'r hyn roedd plant eraill yn gorfod talu amdano efo arian poced. Gwyliodd ymhellach; nid oedd hyd yn oed yn amrantu; roedd ganddo'r math o lygaid nad oedden nhw yn amrantu nes ei fod o'n caniatáu hynny; ond roedd Baz yn rhy bell uwchben y tri i'w clywed.

'Rhaid gadael neges!' Roedd Snuff yn syllu ar sticer y Criw ar y wal ac yn ei rwbio â gwadan ei esgid. 'Ddois i ddim yma er lles fy iechyd.'

Aeth Charlie Ty gydag o. 'Dwi ddim am fynd heb gael rhyw lwyddiant. Wedi iddo fo fyanwybyddu fi am blât y car yna, a'i ychydig bach o lwc o yn iard yr ysgol, y boi bach du—'

Ond caeodd Queen Max eu cegau; roedd hi wedi gweld rhywbeth arall. Jackson bach yn rapio i sŵn cicio potel blastig. Ac wrth ymgolli yn ei rythm, ni welodd Jackson y tri yn dod ato nes ei bod hi'n rhy hwyr i ddiflannu rhyw ffordd arall: dau fawr gwyn ac un Tsieinead. Roedd bechgyn bach du ar eu pennau eu hunain yn ofalus mewn sefyllfa fel'na. Ceisiodd droi ar ei sawdl, ar air o regi, ond roedd un o'i flaen, un y tu ôl iddo ac un wrth ei ochr – a wal oedd i'r ochr arall.

'Be di'r brys, Eddie Murphy?'

'Dos o'r ffordd!' Roedd Jackson yn bigog. Gallai nyddu pêl fasged rhwng coesau unrhyw un o'r bechgyn mawr, felly i ffwrdd a fo. Ond roedd gan-ddo dîm yn ei erbyn. Roedd Queen Max yn ei ddal fel cneuen Ffrengig mewn gefel gnau. Ac yn syth ar ei hôl hi, roedd Snuff yn anfon ei esgid i mewn.

'Oes gen ti frawd mawr?'

'Aaaa! Dos o 'ma!'

'Dwed di hyn... a hyn... a hyn... wrtho fo gennym ni. 'Dan ni isio'r platie o'r car 'na—'

'Neu rif y plât—'

'Aaaa!'

'A pharch. Mae'r Ffederasiwn isio parch. Iawn?'

'Aaa!'

'Mi ddwedi di wrtho fo, *gwnei?*'

Ond ni ddaeth gair o enau Jackson. Yr unig beth allai ei wneud rŵan oedd gollwng gwaed a phoer, ei gorff bach o'n gwingo ar balmant crand y cyngor.

Gwenodd Charlie Ty, syllodd Snuff Harris, safodd Queen Max â'i dwylo ar ei chluniau, yn anadlu'n ddwfn ac yn chwyddo'i brest yn yr holl gyffro.

Erbyn i Baz Rosso gyrraedd, roeddent wedi mynd, gan gamu allan o dir y Barrier fel gorchfygwyr.

Dechreuodd Jackson symud gan gadw un llygad gwyliadwrus ar y tri rhag ofn iddo gael ei gicio eto; glafoeriodd a thynnodd ei goesau tuag ato.

'Jackson? Mae gen ti goesau o hyd? Oes?'

Ceisiodd Jackson symud ei goesau: roedden nhw'n gweithio.

'Dwi'n 'nabod y bobl yma. Dwi'n byw lawr yn Ropeyard...'

'Wnes i *ddim* erioed...'

'Na? Wel, dwi'n dweud wrthot ti, mae lot *yn* mynd i gael ei wneud o hyn allan...'

A nodiodd Baz Rosso, fel mai ef oedd Al Pacino. Rhoddodd law i Jackson godi ar ei draed; ffeind-iodd gornel sych hen hances a sychodd ei wyneb. Dechreuodd Jackson archwilio'i hunan am arwydd o anaf wrth iddo gerdded tuag adref, fel byddai chwaraewr pêl-droed yn ei wneud wedi iddo gael ei faglu.

'Jackson! Dy ddant di 'di hwn?'

Rhedodd Jackson ei dafod dros ei ddannedd, poeri gwaed eto. 'Ie,' meddai. 'Mi gei di o. Sticia fo o dan d'obennydd.'

Taflodd Baz Rosso'r dant ato a'i wylio'n gadael, cyn mynd i weld y dyn oedd yn gwybod bron popeth am y plant, Mr Gwybodaeth – Theo Julien.

Roedd Theo yn y fflat ar ei ben ei hunan ac yn gwylio sioe gêm. Pan atebodd o'r drws, daeth Baz Rosso i mewn i'r tŷ ar ei union; felly'r oedd o'n ei wneud bob amser; rhywun na fyddai byth yn sefyll ar riniog drws oedd o.

'Felly, pwy wyt *ti'n* cuddio oddi wrtho?'

'Fi, *man*? Neb.' Edrychai Theo fel petai wedi'i bechu.

Chwifiodd Baz i gyfeiriad y teledu. 'Felly, y rybish yma ydi dy sîn di?'

'Do'n i'm yn gwylio. Ond d'on i'm yn boddyrd i'w ddiffodd o.' Ond roedd hanner can o *coke* yn ogystal â tholc yn y glustog yn dweud yn wahanol. 'Dwi'n aros am rywbeth.' Tynnodd wyneb, ei wyneb nodweddiadol Theo-y-jester. *'Gardener's World*. Sut i dyfu pethau, ti'n gwybod be dwi'n ei feddwl? Felly, be ti isio, ar wahan i ddiwedd Coke fi?'

Sychodd Baz ei geg â bys a bawd. 'Dwi isio gwybod beth sy'n mynd 'mlaen. Y? Mae Maxine Bendix a'r Tsieinead 'na newydd roi ciciad go iawn i Jackson bach.'

'Charlie Ty?'

'Ydi o'n hongian o gwmpas efo Maxine?'

Cytunodd Theo.

''Lly d'wed di wrtha i be' oedden nhw'n da 'ma.'

Meddyliodd Theo am y peth, ar frys.

'Achos Ken falle. Y boi 'ma o Affrica...' Dwedodd hanes Kaninda yn iard yr ysgol wrth Baz, sut yr oedd o wedi delio â'r sefyllfa mor hamddenol ac wedi gwneud i Charlie Ty edrych fel Noddy. 'Mae o yn ei breim i fod yn rhan o'r Criw. Dwi'n dweud wrthot ti, *sool*.' Ond ni ddwedodd air am y *joy ride* yng nghar Mal a'r ferch fach wedi'i tharo ar Ffordd Ropeyard, lle'r oedd y lleill yn byw.

'Felly rhaid bod y Ken 'ma'n dda – os mai fo sy'n cychwyn y rhyfel – y?'

'Y *rhyfel* ?'

'Does neb yn rhoi niwed i blant bach ar fy mhat - shyn i. Nid os ydyn nhw isio dianc heb gosb. Mae gen i enw...'

Cytunodd Theo; allai o wneud dim byd arall. 'Ti'n iawn, Baz. Hollol iawn.'

'Felly, dwi isio gweld y Ken 'ma. Fo sy 'di dechrau rhywbeth ac mi fydd yn rhaid iddo fo helpu i roi stop arno fo, yn bydd?'

'Bydd.'

'A – rho dâp yn y peiriant 'na i mi wnei di? *Gardener's Poxy World* – lladd malwod a phryfaid cop a ballu – math fi o beth, hynny...'

Gwenodd Theo. Dim byd ond gwenu, gan godi'i gan Coke fflat a'i orffen. Fe allai gogio fel arall, ond y gwir oedd bod y ffizz wedi hen fynd ohono fo, dim am-heu-aeth.

Mae angen amser cyn llwyddo i gysgu pan fo'ch llygaid chi'n lled agored gan gasineb. Nid oedd gweiddi ar y wal wedi bod yn ddigon i roi tawelwch meddwl iddo. Heno, roedd clymau newydd yn ei ddillad gwely, a llygaid llosg Faustin N'gensi yn syllu arno gydag wyneb arteithiol Gifty. Roedd y glustog yn wlyb socian o boer wrth i Kaninda rag-dybio'r dyfodol cyn iddo lithro i fyd breuddwyd-ion. Nid oedd popeth yn rhyfel yno – rhyw dro cyn y bore, roedd ei dad wedi dod ato, mor fyw â phetai yno go iawn, ei wên, ei lais, ei jel gwallt, siffrwd ei grys gwyn – er hyn, yn nyfnder y cyfnod bach hapus hwn, fe wyddai Kaninda fod ei dad wedi marw. Gofynnodd iddo. 'Ydw,' meddai'r dyn.

Deffrodd gyda hynny'n ffres yn ei gof a gwaedd-odd 'Yusulu!' i'r gobennydd ar ei union. Nid wyneb clên ei dad oedd gydag o drwy frecwast Mrs Capten Betty Rose ond llygaid Faustin N'gensi. Diwrnod braf oedd hi wrth iddo gerdded i'r ysgol gyda'r ferch, Laura, yn dawel, a chadwodd ei ben i lawr; hyfforddiant Rhingyll Matu, ni fyddai'n edrych i fyw'r golau rhag iddo ddinistrio'i allu i weld yn y tywyllwch am fis. Gallai hi fod yn dywyll pan fyddai o'n lladd yr Yusulu.

Gwyddai ei fod yn barod pan welodd y bachgen eto. Rhedodd teimlad oer brwydr dros ei groen, ond roedd iard ysgol rhwng y ddau, yn ogystal ag athro ar ddyletswydd ac mae'n rhaid bod hwnnw wedi'i rybuddio i warchod y bachgen. Trodd Kaninda i ffwrdd felly, a phoeri llond ei geg o fustl. Beth bynnag, ni ddylai casineb dynnu'r glicied. Yr ym-ennydd ddylai wneud hynny. Ond roedd y targed wedi'i nodi. Fe ddôi'r ymosodiad cudd a'r lladd pan fyddai llwyddiant yn anorfod.

Daeth dau arall o'r iard ato'n gyntaf. Aeth y Tsieinead heibio iddo gyda thro melys i'w wefus fel petai'n sugno mêl. *Chwifio'i faner* byddai Rhingyll Matu'n galw hynny, dewrder ffals, yr hyn yr oedd yn rhaid i bob un ohonynt ei ddangos i'r gelyn. Ond fe wyddai Kaninda na feiddiai'r bachgen ymosod arno eto heb gymorth – ac fe allai'r Kibu hwn ladd unrhyw fyddin y foment hon.

Daeth Theo hefyd. Dywedodd Laura rywbeth wrtho ond cododd ei ysgwyddau a pharhau i gamu i gyfeiriad Kaninda.

'Mae gen i neges i ti, Ken.'

'Dim diddordeb.'

Rhoddodd Theo ryw hanner-dawns a thro cyn dod yn ôl at fusnes. 'Baz Rosso isio dy weld di.'

Gofynnodd llygaid hollt Kaninda pwy oedd y Baz Rosso hwn – fel petai'n poeni.

'Dim ond brenin y Criw. Boi mawr. Isio gair.'

'Gair am be mae o isio?'

'Isio... stwff amrywiol. Cafodd brawd bach ei gicio'n ulw neithiwr, gan dy ffrind Tsieinead a'i gang...'

Rŵan deallodd Kaninda'r olwg sugno mêl yna. 'Dim fi wnaeth hynna.'

Ffliciodd Theo ei ddwylo gan gracio'i fysedd fel chwip. 'S'dim rhaid i ti wneud dim byd i fod yn rhan o'r peth, *man*. Mae pethe jest yn digwydd. Un peth, wedyn rhywbeth arall. Wedyn—'

Doedd ceg Kaninda prin ar agor. 'Dwi 'di dweud – mae gen i dylwyth yn barod. Ti'n deall?' Roedd yr Yusulu yr ochr arall i'r iard. Gwelai'r gelyn yn glir hefyd, ac roedd ei galon yn curo'n gyflym eto, fel roedd hi yn ystod ei ymosodiad cudd cyntaf. Fe fyddai unrhyw ladd yn digwydd yn enw Kibu, nid yn enw'r Theo hwn.

'Felly mae hynny i fyny i ti, Ken. Achos mae 'na fanteision i fod yn rhan o'n tylwyth ni.' Roedd Theo'n sefyll yn hollol llonydd, yn groes i'w arfer, gan syllu ar wyneb Kaninda gydag agwedd fel petai'n dal Kaninda gerfydd ei goler. 'Mae bod efo ni'n grêt. Rydyn ni'n gryf, ac mae gen ti fêts, pobol wneith gadw d'ochr di. Brodyr a chwiorydd. Mae bod yn rhan yn deimlad rili grêt; pos-i-tif! Dyna wyt ti ei angen yn Llundain, man.'

Rhoddodd Kaninda ei ddwylo yn ei boced a cherdded i ffwrdd gan ddweud wrtho'i hun i gadw'i bwyll fel y gallai ymladd y frwydr hir: yr aros. Roedd ganddo ddau nod; lladd N'gensi a dych- welyd i Lasai i ladd cymaint o weddill yr Yusulu ag y gallai. Ond os oedd o am wneud hyn oll, roedd yn rhaid iddo fod yn feistr y sefyllfa ac yn feistr arno'i hun, ac roedd yn rhaid iddo wrthsefyll ei awydd i weiddi ar y Theo hwn ac i redeg yn wyllt at N'gensi yn yr iard.

Yn y dosbarth tiwtorial, cyflwynodd y llythyr roedd wedi'i dderbyn y diwrnod o'r blaen, fel bachgen ufudd – y papur caniatâd wedi'i arwyddo gan Mrs Capten Betty Rose yn cadarnhau y gallai fynd allan o'r ysgol yr wythnos honno ar ymweliad dosbarth; yr ymweliad hwnnw roedd y bachgen digywilydd wedi'i wahardd rhag ei fynychu. *Tate & Lyle:* ffatri: purfa, er mwyn astudio proses cynhyrch- iad. Wel, os mai dyna beth oedden nhw'n ei wneud yma, rhaid oedd iddo ddilyn y drefn, roedd hynny'n rhan o'r frwydr aros. Ond rhywbeth tra gwahanol fyddai o'n ei wneud: ni fyddai'r Athro Setzi marw erioed wedi caniatáu ymweliad, hyd yn oed i'r toiledau. Os oedd yn rhaid i rywun 'fynd' yn ystod gwers, roedd yn rhaid dod yn ôl wedyn i gael chwip gan y Meistr Mawr.

Ond, fel y disgwyliai, roedd mwy i'w drafod heddiw na phapur caniatâd – ar ôl digwyddiadau'r diwrnod blaenorol. Aeth at y ddesg gyda'i ddarn o bapur a siaradodd Miss Mascall gydag o'n breifat wrth i weddill y dosbarth ymddwyn fel syrcas.

'Rŵan, gwranda,' meddai – 'A cau dy geg Jon Bennet! – Kaninda, mae gennym ni Gatholigion yma, Iddewon, Tystion Jehofa, Byddin yr Iachawdwriaeth a Milwyr Duw. Mae 'na Indiaid a Pakistanis a Sikhs; Hindws, Mwslemiaid, plant o'r patshyn hwn a'r patshyn arall; mae 'na blant o Somalia, Tsieina, Fietnam, a rhai Saesneg, Duw a'm gwaredo. Mae gynnon ni rai hoyw, *bi*, strêt, ac mae gynnon ni Jon Bennett. A 'dan ni ddim yn dod â dim o hynny i mewn i'r dosbarth gyda ni, oni bai ein bod ni'n dathlu ein gwahaniaethau. Yma i ddysgu ydyn ni mewn ysgol, felly os wyt ti eisiau aros yma a gwneud y gorau o hynny, mae'n well i ti wneud yn siŵr na fydd dim byd fel yr hyn welais i ddoe yn digwydd eto. Ti'n deall?'

Roedd wyneb Kaninda wedi caledu'n solet, gyda phopeth wedi'i gelu y tu mewn iddo, dim byd yn cael ei ddatgelu. *Beth wyddai hi?*

'Wyt ti'n deall?'

Dim smic. Ac roedd yr ystafell wedi colli'i stŵr.

'Kaninda, rydw i'n deall y busnes Kibu a Yusulu i'r dim. Dwi'n gweld y newyddion, darllen y papurau. Dwi'n deall. Dyma fy mhwnc i...'

'Dyma 'mywyd i!' Craciodd Kaninda lle na fyddai Rhingyll Matu erioed wedi cracio, nid ar gyfer cwyn mor bitw. Roedd o'n difaru agor ei geg a datgelu'r fath feddalwch.

'Wel, rydw i wedi dy rybuddio di. Rhaid i ti fihafio fel y gweddill ohonon ni yn yr ysgol, neu bydd yn rhaid i ti wneud y peth arall.'

Ni wyddai Kaninda beth oedd y peth arall hwnnw; ond fe wyddai pan oedd sesiwn dweud y drefn wedi dod i ben. Trodd, fel mewn dril, a cherddded yn ôl at ei sedd.

'Fe sortiodd hynna fo!' gwaeddodd Jon Bennett. 'Dwi'n dweud bo chi'n iawn, Miss. Achos un teulu mawr hapus ydyn ni, yntê?' Cymeradwyodd y dos-barth.

'Rwtsh-lol!' meddai Miss Mascall a dychwelodd trefn, tra bo Kaninda'n eistedd wrth ei ddesg a syllu ar ei wers-lyfr heb weld y geiriau.

Ymosodiad cudd 'L' oedd o; nid mewn llinell syth, nid mewn 'V', nid 'pin-olwyn', fel nad oeddech chi'n gwybod o ba gyfeiriad i ddisgwyl y gelyn. Roedd yr ymosodiad yn cael ei wneud ar dro yn y ffordd, gydag un platŵn yn wynebu'r cerbydau Yusulu a'r llall yn cuddio ac yn aros wrth gefn. Pan fyddai'r confoi yn cyrraedd y lladdfan, fe fyddai'r gorchymyn yn cael ei roi a'r tân yn cychwyn.

Ffordd wledig oedd hi, tyllau yn y ffordd a phyllau dŵr yn gwneud i'r colofnau olwynion llyw weithio'n galetach nag unrhyw ran arall o'r cerbyd, ac ar ôl ymosodiad cudd fel hyn, fe fyddai cyrff y rhai fu wrth y llyw yn hawdd i'w hadnabod oherwydd cyhyrau eu breichiau. Ers amser maith, roedd y confoi Yusulu wedi refio a gwichian a chicio llwch coch i fyny fel machlud haul – o'i safle wrth gefn mewn twr o wiail gwyllt, roedd Kaninda wedi'u gweld yn nesáu hanner awr ynghynt.

Fel y bydd hi pan fydd rhywun yn aros am y gwaethaf, fe deimlodd yr hanner awr hwnnw fel diwrnod cyfan. Roedd gwybed a morgrug a mosgitos aedes yn ei orfodi i wingo ond doedd fiw iddo symud gormod a datgelu'r ffaith ei fod o yno na gwneud unrhyw sŵn y byddai'r patrol Yusulu'n ei glywed. Gyda'i lygaid ger ceg y gwn, teimlai Kaninda'n benysgafn oherwydd yr arogl olew iro a bareli metel yn cynhesu yn yr haul.

Nid oedd Rhingyll Matu ymhell, ond ni wyddai Kaninda yn lle'n union roedd o. Unwaith yr oedd Kaninda wedi cael ei osod yn ei safle, cyn i'r haul wawrio, byddai'n hawdd iddo gredu mai ef oedd yr unig enaid byw yng ngwyll Affrica – ond am y gwybed – a rŵan y llwch byw coch yna'n nesáu... mater o swatio'n dawel a chnoi prisgil ifanc oedd hi, nes i'r saethu ddod i ben, pan fyddai'n rhaid iddo godi a dangos y ffordd allan i'r platwnau ymosod cudd, hyd waelod y gribyn ac i lawr i'r afon lle'r oedd cychod yn aros. A phan fyddai Rhingyll Matu'n rhoi'r gair, fe fyddai platŵn Kaninda yn dilyn, yn troi a saethu mewn bwâu perffaith bob ugain cam, rhag ofn fod unrhyw Yusulu'n dal yn fyw ac yn dod ar eu holau. Dim peryg! Dyna ddwedodd Rhingyll Matu.

Yn agosach ac agosach, daeth sŵn cerbydau mewn cwmwl o lwch coch yn cael ei gicio i'r awyr, gyda mwg egsost du yn eu tywyllu o'r tu ôl. Roedd y peth yn fraw-ychus: y gwichian a'r refio di-baid wrth iddyn nhw nesáu, ac roedd calon Kaninda'n crynu baril ei wn, ei lwnc yn sychach na phe bai ganddo lond ceg o bryfaid y gannwyll, chwys ei wyneb yn gwneud i'w sbectol dywyll lithro o'i drwyn.

Crensian, gwichian, refio, ôl-daniad. Yna, CRAC! Ac yn sydyn, dechreuodd. Clywodd Kaninda'r peth yn digwydd, gan metr i ffwrdd: y ffrwydradau wrth i'r bom-iau Claymore chwistrellu peli dur i mewn i'r cerbydau a'r dynion, y ffrwydradau wrth i'r tanciau petrol a'r ffrwydron gael eu chwythu'n ulw a gadael mwg trwchus, a'r sŵn mwyaf tanbaid: sŵn sgrechian yr Yusulu'n marw. A gan mai ofn yw ofn, pan ddaeth y saethiadau cyntaf, cafodd Kaninda ei daflu o'i safle a chachodd yn ei drowser, yn ei gwrcwd.

'Corff cachu! Yusulu cachu!' gwaeddodd yn ei ben. Ond roedd pwrpas i hynny. Drwy felltithio'r Yusulu a'i berfeddion gwan ei hun, roedd o'n gwylltio'i hun wrth i'r drewdod drechu ei ofn. Neidiodd i'w draed, yn barod i arwain y platwnau ymosod at yr afon.

'Saf ar dy draed! Wyt ti'n fy neall i? Saf!'

Rŵan, fe wyddai Kaninda lle'r oedd Rhingyll Matu: ar y grib uwch ei ben, yn gorchymyn i'w blatŵn i ddal eu tir, ac mewn safle i saethu unrhyw ddyn nad oedd yn ufuddhau.

Ac wedi'r twrw, tawelwch fu. Daeth y saethu i ben gan ddistewi'r synau dinistrio, marwolaeth, marw. Ond synau Yusulu oedd y rhain – a llanwyd pen Kaninda â phleser ffyrnig gan fod eu sgrechiadau nhw wedi bod yn uwch, hyd yn oed, na sgrechiadau ei fam a'i dad a Gifty fach.

Ac o fewn eiliadau, daeth y platwnau ymosodiad cudd heibio gan redeg, a'u harfau wedi eu taflu dros eu hysgwyddau Rhaid oedd anghofio'r cachu, rhoddodd Kaninda'r arwydd iddyn nhw fynd yn eu blaenau, tra bo'r badau dianc yn tanio'u moduron oddi tano ar yr afon. Ond roedd clustiau Kaninda yn cael eu denu gan sŵn y sgrechian o fan y gyflafan, o hyd, er bod y milwyr wedi mynd. Dyna'r rheswm am fod yno.

Chwythodd Rhingyll Matu ei chwiban. Gallai Kaninda a'r platŵn wrth gefn ddilyn. Roedd Kaninda ar fin mynd yn ei flaen pan welodd redwr arall yn dod tuag ato gan sgrechian; llygaid gwyllt a gwallt ar dân, yn curo'i hunan wrth redeg at Kaninda.

Yusulu.

Gwyddai Kaninda beth i'w wneud. Yn rhyfedd o hamddenol ac oer, yn union fel milwr wedi'i hyfforddi, cododd ei M16 at ei ysgwydd ac anelu – y pen fyddai orau ond y *bol oedd fwyaf. Gwelodd yr Yusulu ar dân beth oedd ar fin digwydd a cheisiodd osgoi'r saethiad, ond roedd boch Kaninda wedi'i weldio i'r stoc: caeodd ei lygaid a saethodd – nid saethu'n fach ac yn fuan ac wedi'i reoli ond chwistrelliad o danio fel sgribl dros y dyn. Sgribl, sgribl, rhaid oedd ei sgriblo allan yn llwyr. A chyn i Kaninda wybod beth oedd yn digwydd, roedd Rhingyll Matu wedi'i lindagu o'r tu ôl, ei daro ar ei gefn, ac roedd yn ei wthio hyd y grib at yr afon.*

Ni ddechreuodd ysgwyd hyd nes iddo gyrraedd gwely o frwyn, awr wedi'r digwyddiad, i olchi'i drowser yn lân.

Roedd wedi lladd dyn. Pwy bynnag ddechreuodd hyn, rŵan roedd gwaed ar ei ddwylo fo hefyd. Y gwaed cyntaf.

PENNOD NAW

Aeth Laura'n ôl i fan y ddamwain – roedd arni wir angen gwybod. Tan rŵan, roedd ei bywyd hi wedi bod yn un llawn deall – am bŵer Duw a chariad gwaredol yr Arglwydd Iesu Grist, ac am ei lle yn y Nefoedd pan ddeuai hyn i gyd i ben. Dim ond ffordd o brofi pethau oedd ei chyfnod o rebelio – ac edrychwch lle roedd hynny wedi'i rhoi hi! Rŵan, roedd y rhaid iddi gael gwybod i sicrwydd beth roedd hi wedi'i wneud; rhaid oedd mesur maint ei phechod. Roedd o'n fawr, roedd hynny'n sicr. Roedd rhyw bwdryn wedi rhoi ciciad i Jackson bach o Ffordd Ropeyard yn barod – ond bwriad Laura ar y pryd oedd gwybod yn union sut fath o gyflwr oedd ar ei tharged.

Roedd yr hyn a ddigwyddodd wedi peri i fywyd Laura chwyrlio'n llwyr allan o'i gafael, er bod presenoldeb Kaninda yn y tŷ yn gymorth i guddio hynny. Roedd o wedi newid awyrgylch y lle drwy dynnu llygaid holl-wybodus ei mam oddi ar ei thrallod hi – ei diffyg siarad, diffyg chwerthin y dyddiau hyn, a'r ffaith ei bod hi byth a hefyd yn taro'i chyllell yn erbyn y bwrdd bwyd fel drymiwr. Gwyddai Laura'n union beth roedd hi'n ei wneud ac fe adawodd iddo ddigwydd – gan y gallai feio popeth ar y ffaith ei bod wedi gorfod dygymod â'r bachgen oedd wedi ymddangos yn y tŷ dros nos. Fel mynd allan heno – beth bynnag, byddai unrhyw un yn deall merch o'i hoedran hi, yr adeg hyn o'r mis, yn mynd â'i thymer ddrwg allan o'r tŷ ar ôl gorffen ei gwaith cartref. Felly, roedd heno'n noson dda i Laura gael *gwybod*.

Mewn jîns a thop blêr – er mwyn peidio â thynnu sylw ati'i hunan – cerddodd at ochr agosaf Ffordd Ropeyard, cerdded yn gyflym fel petai ganddi gi i'w gerdded i'r parc, fel petai hi ar ei ffordd i rywle. Ond roedd ei llygaid yn loetran a'i chlustiau mor fain â rhai ystlum. Ei breuddwyd oedd pasio drws un tŷ a chlywed rhywun yn dweud, 'Diolch byth fod yr hogan fach yna'n well – lwcus nad oedd o'n rhyw-beth difrifol...'

Ond ni ddigwyddodd hynny. Prin oedd neb yno iddi glywed unrhyw beth. Roedd drysau wedi eu cau, bocsys teledu yn gloywi'n las – roedd y lle wedi cau am y noson; dim cath yno'n eistedd ar wal i gyfarch gwrach yn yr ardal hyd yn oed. Cerddodd hyd un stryd ddiffaith ar ôl y llall nes iddi weld cwpwl o siopau yn creu parêd tila; siop sglodion a siop hwyr lle'r oedd y stoc wedi'i osod ar wasgar ar y silffoedd i wneud i'r lle edrych yn llawn.

Cerddodd plentyn i mewn i'r siop sglodion, a dechrau colli'i arian i beiriant arcêd swnllyd yn y gornel; heblaw am hynny, nid oedd bywyd yno, chwaith. Safodd Laura gan esgus darllen y fwydlen yn y ffenest er mwyn ystyried pethau eto.

Beth oedd hithau a Theo yn ei wybod am y ddamwain? Roedden nhw'n gwybod fod y car wedi taro'r ferch fach – ond nid oedd Laura wedi arfer â thrin olwyn lyw ac felly nid oedd ganddi syniad pa mor galed oedd y ferch wedi cael ei tharo. Yna, roedd hi'n gwybod fod yr heddlu wedi bod o gwmpas yr ystâdau yn chwilio am gar heb blatiau. Dyna'r oll roedd hi'n ei wybod. Nid oedd hi'n gwybod dim am gyflwr y ferch roedden nhw wedi'i tharo – roedd gwrando ar bob si yn yr ysgol wedi datgelu dim mwy na rwtsh iddyn nhw – ac nid oedd Theo'n ymddangos fel ei fod o'n poeni dim. Felly, oedd y ferch yn fyw neu'n farw, fyddai hi'n ôl yn yr ysgol erbyn diwedd yr wythnos neu fyddai angladd yn cael ei drefnu? Crynodd Laura wrth feddwl am y peth; ond nid oedd hi eisiau gwybod. Sut allai hi weddïo am faddeuant Duw os nad oedd hi'n gwybod am beth roedd hi eisiau maddeuant?

A dyna pryd y gwelodd Laura stondin papur newydd ger drws y siop hwyr. Roedd un papur wythnosol, *Dalton's Weekly*, a phapur lleol heddiw, *Thames Reach Trader*; gwelodd yno yr hyn roedd hi'n chwilio amdano, mewn print mawr du, trwm.

Pennawd baner. Ac yn sydyn, roedd yn rhaid i ffydd adnewyddol Laura yn yr Arglwydd wynebu ei brawf cyntaf – gan fod y pennawd hwn yn dweud nad oedd Ef yn mynd i fod yn garedig wrth y bechadures hon.

*

Nid oedd llawer o bobl wedi bod yn garedig wrth Sharon Slater felly roedd hi'n cadw cyfrinachau yn y modd y cadwai pobl eraill ffrindiau, neu anifeil-iaid anwes, neu ddiddordebau. Cyfrinachau oedd ei hunaniaeth hi, gan mai dyna sut roedd hi'n dygymod â'i thad ac Anti Dove, ei mam newydd: bywyd cyfrinachol i wneud iawn am yr un go iawn. Ac roedd rhannu ystafell yn galw am y cyfrinachau mwyaf cyfrin erioed – ond gallai Sharon ddygymod â hynny. Fe wnâi ei gwely ei hun bob bore, nid i fod yn gymwynasgar ond er mwyn cuddio unrhyw ddamwain yn y nos. Ei chyfrinach. Fel hynny, dim ond un glec allan o saith fyddai hi'n ei gael, ar ddydd Sul, pan oedd dillad gwely'n cael eu golchi.

Ond fe fyddai'i phrif gyfrinach wedi golygu mwy na chlec i'w choes – y llun cyfrinachol ohoni hi a'i mam go iawn, wedi'i dynnu un diwrnod braf ar y traeth, y ddwy wedi gwasgu eu pennau'n dynn at ei gilydd yn y bwth lluniau – a chadwai'r llun mewn amrywiaeth o lefydd fel na allai merch Anti Dove, Michelle, ei ddarganfod: mewn bocs hancesi yr oedd ar hyn o bryd. Ac roedd hi wedi cuddio'r plât – hwnnw oedd heb gael ei daflu i'r afon gan y plant – ar silff uchaf ei hochr hi o'r cwpwrdd, o dan y leinin papur newydd. Roedd wedi cael ei ddwyn ganddi a'i gadw gan fod llythrennau enw ei mam yn gloywi arno – G34 MLS – Marlene Leigh Slater; cyfrinach oedd fel petai'n gloywi pan gleciodd y blwch llythyrau a darllenodd Sharon benawd y *Thames Reach Trader* yn gwthio i'r tŷ.

HIT AND RUN. TROSEDD Y CAR HEB BLAT - IAU. Dim platiau?! Â'i cheg yn agored, dechreuodd ddarllen yr adroddiad ar y dudalen flaen.

Roedd Dorothy Hedges fach yn rhedeg i nôl neges i'w mam pan gafodd ei tharo'n greulon gan gar ar Ffordd Ropeyard, Thames Reach. Erbyn hyn, mae hi yn yr ysbyty yn ymladd am ei bywyd. Roedd y car yn un coch, heb blatiau – ond gwyddom, oherwydd yr un gair mae'r ferch wedi llwyddo i'w ddweud yn ei choma, mai gwyn oedd y gyrrwr.

Oedodd Sharon; gwg bach ar ei hwyneb.

Dywedodd mam Dorothy, Mrs Rene Hedges, 'Dwi'n flin go iawn. Dwi isio'r cnaf 'ma wedi'i ddal. Fedra i'm ymlacio nes bod y bwystfil wnaeth hyn i Dolly fi wedi mynd o flaen ei well...'

'Ti'n darllen eto?' wrth ddod o nunlle, bachodd Anti Dove y papur gan Sharon a mynd â fo i'r gegin

a'i daflu i'r naill ochor. 'Tydi amser darllen ddim
nes bod y gwaith wedi cael ei wneud!' a thaflodd
gadach llestri ati. 'Tyrd, *dream-machine*. Mi gei di
ddechra' edrych yn brysur, miss!'

Ond anodd ydi edrych yn brysur pan fo ymen-
nydd rhywun yn ymladd â'r amhosib, ac ar fin deall
cyfrinach ffrwydrol. Gwnaeth Sharon ei gorau ond
clowten gafodd hi er hynny.

*

I Laura, roedd y profiad yn golygu teimlo'i stumog
yn gostwng, ei chroen yn rhewllyd, panic asmatig o
fod heb aer i'w anadlu. Roedd gan y ferch fach enw
rŵan, enw na fyddai Laura fyth yn ei anghofio, ac
fel sy'n dueddol o ddigwydd gydag enwau, daeth â
delwedd gydag o. *Dolly Hedges. Dolly* – bach, doli
glwt, breichiau a choesau bach llipa; *Hedges* – lwmp
llychlyd, golwg arni fel ei bod wedi bod yn sugno'r
hwch. Wrth sefyll yno â'i cheg yn sych, gwelai
Laura'r tamaid bach bler o ferch, â'i gwallt bob-sut,
llygaid llwydlas – yn gorwedd yn llipa yn y gwter.
Y ferch oedd wedi gweld digon ar Laura i roi dis -
grifiad.

Safodd yn y stryd gan geisio dal y papur fel petai
hi ond wedi'i brynu er mwyn cael canlyniadau'r
loteri, ond roedd ei llygaid hi'n syllu arno nes gwneud
llanast dryslyd o'r geiriau ar y dudalen, a'i chalon
Gristnogol yn gwybod fod y newyddion yma'n

golygu un peth yn unig: cyffesiad llawn, dechrau newydd sbon danlli. Cymerodd un cam at y wal ac eistedd. Ond – nid oedd hi yn y sefyllfa hon ar ei phen ei hun, oedd hi? Roedd ei chyffesiad yn mynd i orfod cynnwys enw'r sawl a yrrai'r car yn y lle cyntaf, yr un oedd wedi dweud y cai hi dro ar ddreifio car ei frawd.

Felly ni aeth adref. Ar ôl eistedd yno nes bod y palmant yn oeri'i thu mewn, aeth o Ffordd Rope-yard ar ei hunion i'r Barrier – lle'r oedd Mal yn gosod weipars ffenestri ar ei gar. Y *car hwnnw.* Y car dieflig hwnnw. Roedd Laura wedi'i weld sawl tro yn ei phen, yn y meddyliau diddiwedd hynny ynglŷn â'r hyn ddigwyddodd, a rŵan roedd hi'n edrych arno eto, y tu mewn iddo, y sêt lle eisteddai hi, patrwm ei ddefnydd, y llyw nad oedd hi wedi'i droi yn ddigon cyflym, y gêr oedd wedi dechrau'r problemau. A chan ei bod hi'n cael ei thynnu ato fel petai hi wedi'i hypnoteiddio, gwelai ochr flaen-dde'r car orau, y golau blaen, y darn o'r car oedd wedi taro Dolly Hedges fach: lle nad oedd marc, na chrafiad, na tholc i ddangos yr hyn ddigwyddodd. Ac o fewn pum eiliad, symudodd ei golwg o'r bympar i'r plât.

'Faint o blatiau sy gan un car?'

'Y?'

Sharon Slater oedd yno'n gofyn cwestiynau, wedi ymddangos o nunlle, nid yn gofyn i Mal, ond iddi hithau.

'Helô Sharon? Wedi darllen yr efengyl eto?'

'"Sant Ioan"? Braidd yn *dda* tydi? Ond dwi wedi bod yn darllen...'

'Do?'

'Y *Trader*. Dwi'n licio'r newyddion am y lle 'ma, mae o'n fwy... gwir.'

Cytunodd Laura, nodio'n wan.

'Felly faint?' aeth Sharon yn ei blaen.

'Ai cwis car ydi hwn? Allen ni redeg cwis un noson yn Milwyr Duw os wyt ti isio...'

'Mi ddweda i wrthot ti. Mae 'na ddau. Un ar y blaen ac un ar y cefn.'

'Dyna'r gyfraith, yn de?'

'Achos mae gan y car yma dri. Roedd ganddo fo bedwar, ac roedd un wedi'i adael ar ôl ar y wal. Ac rŵan mae'r ddau yma arno fo...' Pwyntiodd at un, yr un ar y blaen.

Edrychodd Mal i fyny, ond nid oedd o'n edrych fel petai wedi dal llawer o'r sgwrs. Ond roedd o'n edrych fel bod diddordeb ganddo rŵan, felly llusgodd Laura Sharon i un ochr.

'Am beth *wyt* ti'n parablu, Sha?'

'Ocê ta, mi edrycha i'r ffordd hyn. Mi edrycha i dros yr afon at le Tate.' Trodd i wynebu'r llong ar ochr arall y Thames a chei'r burfa lle roedd y llong yn dadlwytho. 'Ac mi wna i ddweud wrthat ti beth yw rhif y car coch yna...'

'Ydi hwn yn dric neu rywbeth...?' Ond roedd Laura'n gwybod beth oedd yn digwydd a'r hyn oedd ar ei ffordd.

'Rhif y car yna ydi G34 MLS.'

'Clyfar. A?'

'Llythrennau enw mam. Ei hoedran pan aeth hi, a'i henw.'

'A! Sôn am gyd-ddigwyddiad.' Nid oedd Laura erioed wedi bod y teip i lewygu, ond yr eiliad honno bu'n rhaid iddi bwyso'n hamddenol yn erbyn rheilen glan yr afon rhag ofn iddi syrthio.

'Dwi'n gwybod y rhif achos mae'r plât gen i adre. Mi nes i ei ddwyn o o'r wal yna pan aethon nhw i mewn i gael swper. Mi wnes i adael y llall ond dwyn un, felly dwi'n gwybod ei fod o ddim ar y car yna. Mae'n rhaid bo'r rhain yn newydd.'

'Wel, ydyn, rhaid eu bod nhw, os wyt ti wedi dwyn un o'r lleill.' Un ymgais, ond roedd Sharon yn gwybod, roedd Sharon yn gwybod...

'Ti'n iawn.' A chyda hynny, gadawodd Sharon y mater fel ag yr oedd o, a mynd.

Agorodd Laura ei cheg i sugno aer oer yr afon. Roedd hi'n boeth, yn chwysu, ac mor wan â phetai hi heb fwyta am fis; ac roedd mwy na'i misglwyf hi'n ei phoenydio hi o'r tu mewn.

'Ydi Theo i mewn?' cafodd ei hunan yn ei ddweud.

Rhoddodd Mal ryw olwg od iddi; ag ychydig o wên, tynnodd ei ffôn o'i boced a deialu. 'Theo? Tyrd lawr 'ma, man. Gen ti fisitor.'

Gallai Laura glywed llais Theo o lle'r oedd hi, awel yr afon neu beidio, ond ni chlywai'r geiriau eu hunain. Roedd Mal yn edrych arni, yn amlwg yn ansicr sut i gychwyn ei disgrifio hi i Theo tra'i bod hi'n gwrando.

'Dwed wrtho fo mai Laura sydd yma, a fydd hi ddim yn gadael nes...'

'Laura 'di hi, a di'm yn symud nes ti 'di troi i fyny.' Caeodd Mal ei ffôn yn glep, nodio arni a mynd ati i fela efo'r weipar.

O fewn munudau, roedd Theo'n cerdded ar draws y pafin gyda sbonc anferth yn ei gam, sbonc milltir neu fwy o uchder, yn chwipio'i fysedd ac yn ym-ddwyn mor cŵl; syndod na fyddai'r Thames yn rhewi drosti. *Sool* go iawn.

'Lau-ra! Pos-i-tif! Be ti'n da'n fan'ma? Dwi fyny fan'cw efo gwaith cartref Technoleg...' Heb stopio, cipiodd ei braich a bownsio gyda hi i gyfeiriad maes chwarae gwag y Thames Barrier. Eisteddodd ar swing. 'Be sy', hogan?'

'Ti 'di gweld y papur?'

'Mae Charlton Athletic yn mynd lawr?'

'Y *Trader*, y dudalen flaen, am y ddamwain, yr hogan fach.'

'Weles i rywbeth.'

'*Rhywbeth*? Welest ti ei bod hi mewn coma?'

'Dyna di'r si? O'n i'n meddwl mai comma oedd o, fel hanner ffwl-stop, sti...'

'Ie, a dwi'n meddwl ei bod hi. Hefyd. Fwy na hanner ffordd.'

'Weles i o.' Dechreuodd Theo siglo, ond crafodd ei *trainers* felly rhoddodd y gorau iddi. 'Lor, be sy' na i bwyntio'r bys aton ni, *man*?'

Cipiodd Laura gadwyni ei siglen a'i ddal o yno. 'Mae *popeth* i ddweud mai ni wnaeth. Car coch, dim platiau – na, doedd 'na ddim platiau arno fo, ac mae *rhai* pobl yn gwybod nad oedd 'na rai arno fo – a welest ti'r gair mae Dolly Hedges wedi'i ddweud?'

'Rho gliw i mi.'

'Mi ddywedodd hi, "gwyn".' Gollyngodd Laura un tsiaen er mwyn taro'i hunan. 'Mae hynny'n golygu fi. Roedd hi'n disgrifio'r gyrrwr.'

'Na. "Gwyn"? Rwyt ti'n saff felly, a fi. Dwi mor ddu â *Jamaican pride*, ac rwyt ti'n rhyw fath o—'

'Mi allwn i fod yn wyn i rywun sy mond wedi cael cip sydyn.'

Edrychodd Theo arni yng ngolau coch niwlog y machlud oedd dros yr afon a Llundain.

'Dwi'n olau, tydw?'

'Tydi bod yn ddu ddim yn helpu rhyw lawer o gwmpas fan'ma, felly arhosa di'n olau, hogan, bydd di mor wyn ag y medri di.'

Gollyngodd Laura ei siglen, eistedd ar un arall a dechrau siglo'n araf heb fod ei thraed yn gadael y llawr.

'Yn Seychelles Creole, does 'na'm gair am "hil-iaeth", oeddet ti'n gwybod hynny? Pan wyt ti'n cael dy eni, maen nhw isio gwybod pa liw wyt ti'n union fel mae rhywun isio gwybod os wyt ti'n fachgen neu'n ferch – mae o'r un mor neis os ti'n troi allan unrhyw ffordd neu'n rhywbeth yn y canol. Ond yn rhywle fel fan'ma, dyna'r peth cynta' sy'n cael ei roi ar adroddiad heddlu.' Trodd i'w wynebu. 'Maen nhw'n siŵr o'n cael ni, Theo – felly be' wyt ti'n mynd i'w wneud am y peth?'

'Ni?'

Chwyrliodd Laura tuag ato er mwyn ei daro, wrth i'r siglen symud yn ei blaen. 'Paid â dweud hynna! Roeddet ti yn y car! Ti yrrodd i ffwrdd. Dwi'n gwybod a dwi'n adnabod rhywun arall sy'n gwybod.'

'Pwy?'

'Rhyw blentyn.'

Synfyfyriodd Theo. 'Fydde gynnon ni'm gobaith,' meddai. 'Mae pobl yn cael eu rhoi tu ôl i fariau am y math yna o beth. Yn ben-dant.'

'Ond be tasen ni'n mynd i mewn a chyffesu, a dweud ein bod ni'n flin, yn lle aros iddyn nhw ein ffeindio ni...'

'Alle hynny helpu dipyn bach efo'r hen Farnwr...' Safodd a thaflu'r siglen yn ei hôl yn flin. 'Be mae'r Ffederasiwn yn mynd i'w wneud i ti sy'n rhaid i ti boeni amdano! Mi dwi 'di dweud wrthat ti o'r blaen. Mi fydd 'na ryfel, a ti fydd y targed cyntaf, fi wedyn.'

Cydiodd Laura yn ei siglen o fel na fyddai'n taro i mewn iddi. Wynebodd y Thames. 'Y munud yma, faswn i gystal â neidio i mewn i'r afon yna. Dwi'n barod i'w wneud o, Theo.'

'Neg-a-tif, ti ddim! Dim pan mae gynnon ni gynlluniau...'

'Pa gynlluniau?'

Roedd golwg hyderus ar Theo. 'Dim jest gwrando arnat ti dwi 'di bod yn 'i wneud, yn swingio yn fan'ma. Dwi 'di bod yn meddwl.' Cododd ei fysedd yn barod – dau ohonynt. ''Dyn ni'n curo'r Ffeder-asiwn – 'dan ni'n cael Ken a'i driciau o, a phob un ohonon ni, ac rydyn *ni*'n eu gwneud *nhw*. Mae Baz Rosso'n gweithio arno fo'n barod. Ac unwaith maen nhw allan o'r pictiwr, dim problem – *wedyn* mi awn ni i ddweud wrth yr Glas...'

Gwgodd Laura. 'Ddoi di – efo fi?'

Dangosodd Theo gledrau ei ddwylo. 'Ai Theo Julian ydi f'enw i?'

'Dyna beth ddwedaist ti wrtha i.'

'Bydda'n bos-i-tif hogan! Rhaid ti gael ffydd.' Neidiodd Theo ar sêt ei siglen a dechrau siglo'n uchel. 'Tyrd di â Ken i lawr fan'ma nos yfory i weld Baz ac mi awn ni o fan'no.'

Siglodd llygaid Laura gydag o. 'Addewid neu ddêl ydi hynna? Mi ddo' i â Kaninda i ti, ac ar ôl i chi gael eich rhyfel, mi awn ni at yr heddlu? Y ddau ohonon ni?'

Gwnaeth Theo sŵn llawenhau. 'Os na fedra i feddwl am gynllun gwell.'

'Ysgwyd llaw arno fo?'

'Sws.'

'Does gen i'm ffansi hynna ddim mwy.'

'Ocê ta, nawn ni ysgwyd llaw. Pan ddof i i lawr.'

Felly, pan ddaeth o i lawr, ysgydwodd y ddau ddwylo, a throdd wyneb Theo'n dynn unwaith eto, fel petai'i stumog wedi troi wyneb i waered go iawn heno, ac nid dim ond oherwydd y siglen.

PENNOD DEG

Cludwyd y plant gan ddau fws ysgol i ffatri Tate & Lyle; dosbarth Kaninda gyda Miss Mascall a dosbarth arall gyda'r athro mawr oedd wedi stopio Kaninda rhag tagu Faustin N'gensi. Roedd o'n cadw llygad tanbaid ar Kaninda yn union fel y byddai'r Athro Setzi'n ei wneud yn ystod arholiad, byth yn amrantu. Ac roedd ganddo reswm. Bob munud, bob eiliad, bob anadl, roedd meddwl Kaninda'n llawn meddyliau am ei elyn. Yn ei gwsg, roedd o'n ei dagu, ei ladd, ei saethu'n llawn bwledi nes ei fod o'n ratlo. Yn ystod y dydd, fe fyddai'n ei wylio. Gwyddai lle roedd yr Yusulu, pa drywydd roedd wedi'i gymryd – ym mha ddosbarth oedd o, pa wers. Nid oedd N'gensi'n mynd i gael ei symud i ysgol arall yn dawel bach heb i Kaninda wybod gan mai fo oedd y targed, fo oedd y dyn marw ar ei draed. A'r bore hwnnw, roedd lleoliad Kaninda'n cymryd bryd Faustin hefyd, yn amlwg, o'r olwg ar ei lygaid a gogwydd ei ben. Ond nid am lawer o amser, gan fod y ddau grŵp wedi eu gwahanu ar

137

gyfer taith y ffatri a'r burfa – un grŵp yn mynd i amgueddfa'r cwmni yn gyntaf tra bo grŵp Kaninda'n dechrau'r daith.

'Rydyn ni yma i weld proses fasnachol,' meddai Miss Mascall. 'Pethau'n dod i mewn o'r afon – o'r llong – ac allan o'r pen arall, ar gefn lorïau, a'r cwbl yn digwydd mewn pymtheg awr.'

'Dwi'n mynd i fowlio heno!' cwynodd un ferch.

'Y *broses* sy'n cymryd pymtheg awr, nid yr ymweliad! Pwy fydde isio treulio'r noson efo ti?'

'Fi, Miss – mi wna i dreulio'r noson efo hi!'

'Yn dy freuddwydion, Thacker!'

Ac yn y blaen, o'r foment iddyn nhw gyrraedd y dderbynfa lle cymrodd Mr McNab o staff Tate & Lyle y llyw gan gau eu cegau nhw gyda gorchymyn a synnodd pawb.

'Os oes unrhyw un ohonoch chi'n gwisgo oriawr, tynnwch hi i ffwrdd a'i rhoi yn eich poced. Unrhyw un sy'n gwisgo modrwy: 'run peth. Gwisgwch y cotiau gwyn acw – a'r rhwyd gwallt bach sydd yn y boced...'

'Gwneud beth?'

'*Rhwyd gwallt*? Ydi o'n meddwl 'mod i'n nansi?'

'Brysiwch, rŵan.' Arweiniodd y dyn y ffordd at gôt wen a rhwyd gwallt, gan dynnu ei oriawr a'i rhoi yn ei boced, ar y ffordd. Aeth Kaninda gyda'r gweddill, ond nid oedd ganddo oriawr na modrwy. Roedd oriawr ei dad wedi'i chwythu'n ddarnau gan y bwledi ac nid oedd wedi bod yn ddigon dewr i dynnu'r fodrwy briodas o'i stwnsh bysedd.

'Does neb eisiau gweld eich dandryff chi na'ch Rolex chi yn eu pecyn siwgr...'

Llithrodd Kaninda gôt am ei gefn. *Siwgr?* Cafodd ei stopio gan y gair, un fraich yn y gôt a'r llall allan. *Siwgr?* Nid oedd dim byd wedi bod yn ei ben ond Yusulu. Roedd o'n cerdded trwy'r ymweliad fel ysbryd Bantu – ond siwgr oedd yma? Wrth gael ei wthio o bob ochr, cafodd hyd i'r rhwyd gwallt mewn bag plastig yn ei boced – ni chlywodd y cynnwrf wrth i'r gweddill gael pwl o hysteria wrth weld ei gilydd yn y wisg. *Siwgr?* Roedd o'n deall rhywbeth am siwgr. Roedd wedi cuddio gyda Rhingyll Matu a'r platŵn yng nglaswellt anferth y cansenni siwgr, ac ar ffin Mozambique roedd wedi gweld cymaint ohono mor agos nes syrffedu'n llwyr ar weld ei goesau efo'r holl forgrug mawr arnyn nhw ac ar gael ei bigo gan ddail miniog wrth symud yn esgeulus. Roedd wedi gweld caru yn y sigwr, lladd yn y sigwr: roedd siwgr yn felys i rai ond yn sur ar ei dafod o.

Ond roedden nhw'n symud yn eu blaenau, y dyn yn siarad ar garlam fel bod y rhesi blaen yn clywed a Miss Mascall yn ailadrodd ar gyfer y gweddill. Dilynodd Kaninda, ei feddyliau'n crwydro rŵan am fod rhywbeth ond lladd N'gensi yn mynd â'i fryd. Safodd gyda'r gweddill wrth iddyn nhw ryfeddu ar fynydd o siwgr crai brown mewn sied, diflasu ar y peiriannau allgyrchu oedd yn yn poeri amhuredd allan mewn anwedd dŵr a sefyll mewn rhesi i olchi'i ddwylo cyn mynd i weld peiriannau awtomatig yn pwyso siwgr gloyw gwyn a'i ddosbarthu i becynnau oedd yn cael eu plygu a'u ffurfio o flaen eu llygaid. Gwelsant y pecynnau'n dod o'r cludfelt mewn llwythi wedi eu lapio â phlastig ac wedi eu printio yn Arabeg, Swahili a Saesneg.

Yn *Swahili*? Roedd ei geg wedi troi mor sych fel nad oedd o prin yn medru gofyn y cwestiwn.

'Nid dim ond i Loegr?'

Roedd Mr McNab yn falch o dderbyn y cwestiwn. 'O, na, boio. Mae'r llwyth bach yma'n mynd yn ôl i ble ddaeth o. Wedi'i buro, ar gyfer y dinasoedd...'

'Dinasoedd?'

'Beira, Maputo... yn Mozambique.'

Gwnaeth Kaninda nodyn ar ei glipfwrdd, er mwyn cadw'i ben i lawr a'i wyneb wedi'i guddio.

'Felly, rydych chi wedi gweld yr holl broses rŵan,' meddai Miss Mascall wrth y dosbarth. 'Fel dwedais i, pymtheg awr o'r dadlwytho hyd ddiwedd y gwaith.

'Ond mae'n cymryd wythnos gyfan i ddadlwytho llong fawr,' meddai Mr McNab. 'Sy'n ein harwain ni allan.' Roedd y daith ysgol i burfa Tate & Lyle yn gorffen gyda dechreuad y broses drwy fynd allan i weld y llong enfawr oedd wrth y cei yn gael ei gwagio o siwgr crai. Gwnaeth Kaninda nodyn o bopeth, nid ar bapur ond fel y gwnaeth wrth dderbyn gorchmynion Rhingyll Matu – yn ei ymennydd milwr. *'Ydych chi wedi deall?'* Roedd Kaninda eisiau codi'i ddwrn mewn saliwt.

Y tu allan, ger y cei, roedd yr athro arall wedi bod yn aros. Gyda N'gensi. Dowciodd Kaninda wrth i'w griw yntau nyddu ar hyd llwybrau dŵr-wyrdd a dringo'r ysgol. Wrth ddod at yr un cei â nhw, gwelsant reilen hir wedi'i suddo, oedd yn rhedeg fel rheilen tram tua metr o ochr y lan. Roedd yn creu llinell ddiogelwch addas. Roedd dosbarth Faustin N'gensi yn sefyll yn daclus ar ei hyd gan edrych ar y llong siwgr; ac fel y rhan fwyaf o linellau diogelwch, roedd hi'n cael ei phrofi gan sathriadau traed mân.

'Fe ddwedais i! Peidiwch â mynd mor agos!' gwaeddodd yr athro.

Ond roedd yr Yusulu yn sefyll yn ddigon agos i fedru cyffwrdd ochr y llong – neu i ddisgyn rhwng y cei a'r llong ac i mewn i'r dŵr llarpiog.

Amcangyfrifodd Kaninda fod deg cam rhyngddo a'i darged, ond tynnodd rhyw ferch N'gensi yn ôl o'r ymyl.

'All o ddim nofio, syr.'

'A be' wyt ti'n disgwyl ei gael am hynny, Medal George?' gofynnodd y dirprwy brifathro.

'Mae'r howld yn wag,' meddai Mr McNab wrth ddosbarth Kaninda – wrth i'r grŵp arall fynd i mewn i weld y broses. 'Felly mae hi'n barod i wneud y daith yn ôl...'

Roedd hynny'n ddigon i achosi meddyliau Kaninda i neidio o N'gensi at hyn. 'I Maputo mae'n mynd?' gofynnodd.

'Ie, i Maputo. Ar lanw nos Sadwrn. Fe gofiaist ti. Mae gennych chi fachgen clyfar yma Miss Mascall.'

'O, oes,' meddai, gan wenu.

A gwenodd Kaninda hefyd. Nid yn weledol, ond ar y tu mewn. Roedd y llong hon yn mynd yn ôl i Mozambique, ac yn fuan...

Nid oedd Laura'n hollol siŵr sut i fynd ati i wneud hyn. Gwyddai fod ganddi'r gallu i wneud i Theo ei dilyn fel rhyw gi llwglyd; gallai wneud i'w lygaid loywi'n enfawr bob tro, petai hi'n edrych i fyw ei lygaid a dangos blaen ei thafod yn chwim; fe fyddai hi'n ei weld o'n llowcio ac yn codi'n barod ar gyfer y gusan oedd yn cael ei haddo. Ond yn achos y bachgen Kaninda – ni fyddai sgiliau felly o werth yn y byd. Er hynny, roedd yn rhaid iddi fynd â fo at Theo y noson honno neu ni fyddai'r llysywen fach lithrig byth yn cadw at ei ran o'r fargen.

Felly, sut? Beth oedd yn mynd i roi tân ym mol Kaninda? Doedd o byth yn dweud rhyw lawer yn y tŷ, dim ond dilyn y drefn pan oedd hynny'n ei siwtio fo – fel trwsio'r cadeiriau yn Milwyr Duw neu gerdded gyda hi i'r ysgol; eisteddai'n dawel mewn cadair a syllu ar y teledu fel rhywun mewn ward gwallgofiaid; neu fe fyddai'n gorwedd ar ei wely yn ei ystafell. Weithiau byddai'n gweiddi yn ei gwsg, ond tra'i fod o'n effro, nid oedd emosiwn o unrhyw fath yn cael ei ddatgelu ar ei wyneb. Roedd gair i ddisgrifio beth oedd yn bod arno fo – trawma, gwneud llygaid meinion a syllu arnoch chi, heb symud unrhyw gyhyr arall.

Kaninda truenus, trist. Doedd hi ddim yn anodd dyfalu pam. Roedd o wedi gweld ei fam a'i dad a'i chwaer fach yn cael eu lladd, ac yntau, rhywsut, wedi bod yn ddigon lwcus i gael ei adael yno – pa syndod fod y bachgen yn methu teimlo cyffro tuag at unrhyw beth yn Lloegr?

Oedd hynny'n wir? Neu oedd o wedi teimlo cynnwrf at un peth – y bachgen bach arall yna o Affrica yn yr ysgol? Roedd wedi ymosod arno'n hollol wallgof yng nghoridor yr ysgol, wedi gorfod cael ei dynnu allan o'r sgrap gan yr athrawon, wedi'i gynhyrfu ddigon gan rywun oedd yn perthyn i ochr y gelyn mewn rhyfel cartref. Dim syndod – mae'n rhaid mai dyna lle roedd ei feddwl wedi'i sodro.

Na, dim syndod o gwbl – roedd hi wedi datrys y benbleth! Heb oedi, roedd Laura yn cnocio ar ddrws ystafell wely Kaninda, cnoc fach gyfrinachol, nid cnoc-a-cherdded-i-mewn fel ei mam. Ni ddaeth 'tyrd i mewn' na dim felly; ond ar ôl oedi ychydig, agorodd y drws yn betrus ac ymddangosodd pen Kaninda – wel, un llygad – yn yr agoriad.

'Kaninda—' meddai Laura mewn tôn isel gyn-llwyngar – 'y boi 'na o Affrica yn 'rysgol...'

Roedd llygaid llydan Kaninda'n gwahodd mwy.

'Y ffoadur arall o Lasai...' Agorodd y drws ffracs-iwn ymhellach; ymddangosodd y llygad arall.

Ond nid aeth Laura yn ei blaen. Beth oedd hi'n ei wneud? Trodd ei phen i ffwrdd. Roedd hi ar fin dweud celwydd, fod y bachgen arall i lawr wrth y Barrier gyda Theo! *Dweud celwydd!* Nid yn unig hynny, ond dweud celwydd gan ei bod hi'n gwybod fod Kaninda'n teimlo malais tuag ato a'i fod o eisiau ei frifo, go iawn. Felly, oedd Laura'n ddigon parod i ddelio â chasineb, tra bod ganddi ddim rhan i'w chwarae yn eu rhyfel nhw, a thra'i bod hi ddim ychwaith yn cadw ochrau? Pa mor bell allai hi isel-hau ei hunan?

'Be?'

'O, dim.'

Gwgodd Kaninda arni, caeodd y drws ychydig, i ddangos dim ond un llygad eto. Roedd hi wedi'i golli, ond roedd yn rhaid iddi ennyn ei ddiddordeb, gyda rhywbeth arall.

'Wyt ti eisiau dod allan heno? Ti a fi, jest am dro?' Yn sydyn, roedd hi'n fflyrtio rŵan. 'Jest, dwi ddim wir yn dy nabod di, na thithau'n fy nabod i. Beth am ryw awren lawr wrth yr afon, lle rwyt ti'n hoffi mynd? Dod i nabod...'

Gwyrodd Kaninda ei ben. Ac er gwaethaf hi ei hunan, heb wybod pam, fflachiodd Laura flaen ei thafod, y fflach fach fwyaf pitw, dim ond nerfau efallai.

Ac agorodd y drws a daeth Kaninda allan yn araf.

'Fel, ti a fi, fel teulu,' cywirodd Laura ei hunan.

A dilynodd Kaninda.

Yr afon oedd ar feddwl Kaninda pan ddaeth y gnoc ar y drws; yr afon, gyda'r llong o Mozambique wedi'i chlymu i'r cei siwgr. N'gensi: cynllun tymor byr. Llong: cynllun hir dymor. Roedd wedi bod yn gor - wedd yno gan wylio llinell y dŵr yn rhedeg hyd gorff y llong, dychmygu gwyn ei phen blaen hi'n hollti trwy ddŵr y môr; y funud honno'n meddwl ei fod eisiau gweld y llong eto er mwyn rhoi trefn ar rai o'i feddyliau – pan ddaeth Laura at ei ddrws a chynnig mynd i'r union le'r oedd o eisiau mynd, fel nad oedd raid iddo ddianc allan fel milwr yn mynd i'r pentref i chwilio am ferch. Ac wrth iddi siarad, fe ddywedodd hi rywbeth am yr Yusulu N'gensi; dechreuodd ac yna newid y pwnc.

Felly, tybed oedd ei darged yn mynd i fod yno hefyd?

Ond beth oedd y symudiad yna wnaeth hi efo'i thafod yn gyflym, gyflym, fel roedd merched y lleiandy'n ei wneud pan nad oedd y lleianod yn edrych, oedd golwg arni fel ei bod hi'n *denu*? Ac fe ymatebodd o'n union fel bechgyn eraill, ond doedd ganddo ddim diddordeb mewn rwtsh merched;

doedd y fath chwarae-o-gwmpas ond yn creu rhwyg rhwng milwyr, yn dwyn eu hegni; ac roedd yn rhaid iddo fod yn siarp a chaled hyd nes i'r rhyfel ddod i ben.

Ond roedd cael golwg arall ar y llong o ddiddor-deb iddo; a *phetai* N'gensi wrth yr afon...

'Dyma Baz Rosso.'

Ond nid oedd yr Yusulu yno. Yno roedd Theo a bachgen gwyn mwy o faint – tebycach i ddyn – ond dim N'gensi. Roedd y ddau'n eistedd ar gefn sêt bren ger maes chwarae'r plant lle'r oedd Theo wedi dweud fod prawf y Criw yn dechrau.

Ffliciodd y dyn ei fonyn sigarét dros y llwybr ac i'r dŵr. Cerddodd Kaninda heibio iddyn nhw ac at reilen yr afon a phwysodd ar y darn pren esmwyth ar ei frig. Nid oedd o'n siŵr pam y bu iddo ddod yno ond, heb os, nid dyma'r rheswm.

'Dwi'n clywed stwff da amdanat ti, Ken.'

Dim ateb. Parhaodd Kaninda i edrych i lawr yr afon at lle'r oedd y siwgr yn cael ei sugno allan o'r llong hir.

'Mae Theo'n dweud bo ti'n rhyw fath o ymladdwr mondo.'

Felly mynd yn ôl at y pwnc yna roedd o? Theo a'i dylwyth Criw, ei ryfel? Roedd eisoes wedi rhoi'i ateb i Theo, ac fe fyddai'r un ateb yn gwneud y tro i'r dyn hwn hefyd – sef negatif, a gwell oedd cyf-athrebu hynny drwy ddweud dim.

'Wedi colli dy dafod, wyt ti?'

Trodd Kaninda'n i wynebu'r dyn yn araf a dangosodd ei dafod iddo. Dangos i Laura hefyd, ond nid fel y gwnaeth hithau iddo fo. Nid oedd lle i gamgymeriadau.

''Run lliw ag un fi.' Ond roedd llygaid Baz Rosso fel petaent yn pwyso a mesur gwerth gwastraffu ei amser yn siarad efo'r bachgen hwn.

'Ken, fedrith y boi yma dy helpu di.' Ac o fewn yr eiliad, roedd Theo yn sefyll dros Kaninda. 'Beth wyt ti 'i isio? Pyff, sgync, swper sgync, unrhyw beth tripi fel'na – roedd gen ti hwnnw yn Affrica siawns – fedrith o gael hynny i gyd i ti, medri Baz?' Roedd Theo yn ymddwyn fel rhywun oedd wedi cludo bustach yno ond fod hwnnw'n gwrthod tynnu, felly dyna lle'r oedd o, yn ceisio goglais y bustach eto. Gostyngodd ei lais, fel na chlywai Laura. 'Neu Jên? Mi geith o ferch i ti hefyd, unrhyw liw, unrhyw bryd.'

'Neu N'gensi, elli di ei gael o?' Roedd Kaninda wedi siarad.

'N'gensi?'

'Elli di ei gael o?' Wrth Theo roedd Kaninda'n siarad.

'Pos-i-tif. Cwbl sy' raid i ti 'i wneud ydi rhedeg y sialens, dyna'r rheolau, ac wedyn mae brodyr Criw yn helpu brodyr Criw. Unrhyw beth lici di...'

Rhedodd Kaninda ei fys ar y rheilen bren, gan ei fod o wedi gweld lle'r oedd lefel y llanw yr amser yma o'r nos – isel, gyda'r cerrig a'r creigiau yn dangos yn filain oddi tano. Ond nid oedd llanw uchel nac isel yn gwneud gwahaniaeth iddo os nad oedd Faustin N'gensi yn medru nofio: a phetai o'n marw mewn seremoni derbyn fyddai hynny ddim yn dod â heddlu ar ôl Kaninda – damwain fyddai hynny, fel milwr gwael yn marw wrth i gorporal lanhau ei wn.

Trodd Kaninda ei gefn at Theo, gan anwybyddu Baz o hyd. 'Felly, wnei di gael y bachgen Lasai? Gweld os bydd o'n fodlon gwneud hyn?'

'Iawn. Alla i wneud unrhyw beth, Ken. Unrhyw bryd. Gore po fwyaf. 'Run amser fory?'

Nodiodd Kaninda'n siarp.

'Ond dim ond pan wyt ti *yn* y Criw, *man.*'

Edrychodd Kaninda dros yr afon eto, yna edrych-odd ar hyd llinell y rheilen bren. 'Iawn, mi wna i o,' meddai'n sydyn.

'Top Dog!'

'Be? Do'n i'm yn gwybod... Faswn i ddim wedi...' Rhoddodd Laura ei dwy law at ei cheg a chau ei llygaid.

Arweiniodd Theo Kaninda at flaen y llwybr, lle'r oedd yn cyfarfod wal y Thames Barrier. Wrth iddyn nhw gerdded y metrau tuag ato, gwelodd Kaninda adeiladau tal y ddinas i fyny'r afon, fe glywodd jet yn rhuo cyn iddi lanio rhywle i'r dde; edrychodd ar y goleuadau coch ar y pier agosaf.

'Ydy dy afal gen ti, Ken?'

Trodd Kaninda ei lygaid hollt at Theo. Roedd *wedi* brolio ynglŷn â pha mor gyflym y gallai redeg y rheilen, gydag amser i fwyta afal ar y diwedd. Rŵan, roedd o'n edrych ar hyd y can metr o reilen bren a'r holl nobiau crynion fel baw gwartheg i'w hosgoi rhwng y rhannau gwahanol o'r rheilen. Roedd o'n rhediad hir at y lle chwarae lle'r oedd Laura a'r dyn Baz yn sefyll.

'Mi reda i efo ti, *man*, i lawr yma ar y llwybr.'

Ni ddwedodd Kaninda air. Tynnodd yr esgidiau ysgol du roedd Mrs Capten Betty Rose wedi eu prynu iddo – nid oedd o'n gwisgo sanau – a thyn-nodd ei hunan i fyny i ben y rheilen esmwyth er mwyn wynebu'r dasg. Am eiliad neu ddwy, daeth o hyd i'w gydbwysedd, tawelodd ei feddwl, meddyl-iodd am Rhingyll Matu'n gweiddi ar y dynion i anadlu'n ddwfn cyn ymosod yn gyflym. *'Ewch amdani, ewch amdani, ewch amdani! 'Dych chi'n deall?'* Felly, dyna wnaeth Kaninda. Roedd wedi rhedeg ar hyd pontydd rhaff dros geunentydd ac ar hyd coed marw dros ddŵr; roedd y fath redeg angen cryn anadl i gynnal cyflymder a stamina, ac roedd yn rhaid sicrhau nad oedd meddyliau chwit-chwat yn drysu ei draed. Roedd angen ocsigen. Reit: nid oedd y rhediad esmwyth, syth hwn ar frig y rheilen mor anodd â hynny, ond roedd y nobiau crynion yma o'i ffordd; a thrwy edrych ar un o'i gamau, deallodd fod pob darn o'r rheilen rhwng y nobiau yn rhy gwta i dri cham ac yn rhy hir i ddau. Felly, anadlodd yn ddwfn, aeth amdani! I roi cyflymder a gwaed cyflym a llygaid clir iddo. Ac fe fyddai'r cerrig a'r creigiau oddi tano yn siŵr o wneud llanast llwyr o unrhyw gorff.

Ond edrych yn ei flaen fyddai o'n ei wneud, nid i lawr. Hyd yn oed o'r man lle'r oedd o'n sefyll, gallai weld Baz yn edrych ar ei oriawr wrth iddo ddal ei law arall yn uchel er mwyn rhoi'r arwydd. Safai Laura wrth ei ochr, ger y rheilen.

'Wyt ti'n meddwl y gall N'gensi wneud hyn, wyt ti?' gofynnodd Theo.

Anwybyddodd Kaninda fo. *Nid* oedd o'n meddwl hynny: fe fyddai o'n boddi neu'n cael ei ladd gan y cerrig, a dyna'r unig reswm roedd Kaninda Bulumba yn gwneud y peth; er mwyn denu'r Yusulu yma yfory – i fethu ac i ddisgyn.

'Bydd wych, Ken! Tri deg eiliad, man.'

Ac rŵan, nid oedd dim byd arall ym meddwl Kaninda, ond braich uchel y dyn acw. Anadla'n fân ac yn fuan rŵan, dim amrantu.

Felly, i ffwrdd a fo! Disgynnodd y fraich a gwth - iodd Kaninda yn ei flaen, ei lygaid ar ei draed, ar hyd y peth o'i flaen, i fyny ac i lawr – traed, mesur hyd – wrth iddo ddod i rythm ei gamau, ymlaen ac yn gyflym gan wyro'i gorff at y tir, ei freichiau allan er mwyn cadw'i gydbwysedd. Dau gam, hanner cam, camu'r nobyn; dau gam a hanner, camu'r nobyn; dau gam a hanner, camu'r nobyn – yna llygaid ymlaen tuag at darged y llinell derfyn wrth iddo gychwyn rhedeg yn gyflym gyda chydbwysedd, cydbwysedd, cydbwysedd fel *commando* ar wal. Roedd awel yn ceisio ei ddisodli ond roedd o'n rhy gyflym i hynny, ac wrth iddo gyflymu, fe allai gamu'n frasach, felly ar ôl camu dros ddeg nobyn, roedd o'n mynd fesul dau-gam, dau-gam, dau-gam. Fe fyddai tri deg eiliad yn hawdd – fe allai fod wedi dod ag afal gydag o wedi'r cwbl – yn union fel y gwnaeth o pan fu'n rhaid ei heglu hi ar ôl i batrôl Yusulu eu dal yn bwyta ffrwythau'r lleiandy, pan fu'n rhaid iddo redeg rhag bwled wedi'i hanelu at ei gefn, ei galon a'i ysgyfaint erioed wedi gweithio mor galed, ei draed a'i lygaid erioed wedi canolbwyntio mor ffyrnig ar ei gamau; troed yma, troed yn y fan acw, dros fonyn, trwy fylchau, troedio'r ddaear goch a rhedeg, rhedeg, rhedeg; nes bod yr Ysulu wedi gollwng eu reifflau'n glep ar lawr, pan welodd fod yr afal a oedd wedi hanner ei fwyta yn boetsh a swmp o hadau yn ei law. Roedd hyn yr un peth, ond yn haws; roedd y gwymp yn dal yno ond nid oedd bwledi y tu ôl iddo.

Deg nobyn i fynd; naw nobyn; dau a cham, dau a cham; saith nobyn, chwech, pump, pedwar, tri, dau – Theo'n gweiddi, Laura'n syllu.

'Gwych, Ken! Ti'n *sool, ti yn!*'

Un nobyn—

Yusulu? Beth waeddodd Theo? Oedd N'gensi yma?

Y nobyn olaf, ond – fflach llygad yn edrych lle na ddylai ac un bodyn troed yn rhy isel – ac yn ei ddryswch, baglodd Kaninda, gan wegian; ceisiodd ganfod ei gydbwysedd eto ond cwympodd dros ben y rheilen, ei gorff ar ochr yr afon i'r rheilen a'i ddwylo'n chwyrlïo am rywbeth i afael ynddo ond yn canfod dim, y pren esmwyth fel petai'n ei wrthod.

A drosodd a fo! I lawr at y creigiau! Nid oedd unrhyw obaith iddo – ond am ddwy law yn ei gipio'n sydyn, ei gipio'n galed a phoenus, ond yn ei ddal, o fewn trwch blewyn – tan i ddwylo eraill gyrraedd, a'i siglo. Roedd hi'n rhy anodd ei godi yn ôl dros y rheilen felly gollyngwyd o i lawr at y llwybr fel pysgodyn yn cael ei ollwng ar dir sych ar ben gwialen bysgota.

'Pos-i-tif, Laura – roeddet ti'n gyflym!'

Roedd Theo a'r dyn Baz wedi'i dynnu drosodd ac i ddiogelwch; ond y cyntaf yno, perchen y dwylo a'i achubodd, oedd Laura.

Edrychodd Kaninda arni. Ni ddwedodd air; nodiodd; nodiodd fel y mae cymeradwywr yn ei wneud: *mae arnaf i fy mywyd i ti! Mae fy nyled yn fawr i ti!*

'Vincitore! Fe wnest ti o—' meddai'r dyn, Baz '—roedd dy draed di mewn yn y darn olaf, ac o fewn yr amser.'

Bloeddiodd Theo. 'Ti mewn, Ken; ti yn y Criw! Gweld?'

Cerddodd Baz Rosso i ffwrdd, fel petai cadfridogion ddim yn aros i wrando ar siarad milwyr; ond dros ei ysgwydd fe alwodd, 'Yfory, pan fydda i'n gwybod mwy am be dwi isio'i wybod, mi siaradwn ni am dactics a strategaeth.'

'N'gensi,' oedd yr unig beth allai Kaninda ei ddweud – wrth Theo. 'Yusulu.'

'Siŵr iawn, Ken, pos-i-tif!'

'Ti am ddod a fo. Yma.'

Gwgodd Theo. 'I be? I'r Criw?'

'Fi a'r bachgen yna, jest ni.'

'Beth bynnag wyt ti 'i isio, Ken, achos, ti mewn!' Ni wnaeth Theo unrhyw symudiadau cyflym – nid oedd neb yn gwneud symudiadau cyflym ar Kaninda – ond pwysodd Theo yn ei flaen a rhoi'i ddwylo ar wregys trowser Kaninda. 'Dy wregys, man...'

'Ie?'

Tynnodd y bwcl i un ochr, ychydig i'r dde o'r canol. 'Rŵan rwyt ti yn y Criw.'

'Sut?'

'Dangos dy fod yn y Criw. Welaist ti wregys Baz – a f'un i?'

Edrychodd Kaninda. Roedd bwcl gwregys Baz i un ochr, i'r dde. 'Mae'r Criw'n gallu dweud pwy sy'n aelod, ond neb arall...'

Tynnodd Kaninda'r bwcl yn ôl i'r canol. 'Dwi'n gwybod. Mae hynny'n ddigon.'

A gadawodd Laura a Theo, yntau'n edrych fel petai eisiau rhoi ei fraich amdani a hithau'n ei ddal yn ddigon pell.

Gadawodd hynny Kaninda'n edrych i lawr ar y gwymp y cafodd ei arbed rhagddi, dim ond drwy gyflymder a chryfder y ferch yna. Roedd hi wedi'i achub, nid oedd ysbryd Kaninda wedi'i uno â rhai'i fam a'i dad a Gifty fach; dim eto. Roedd wedi'i achub gan fod ganddo eto bethau i'w gwneud; roedd eto frwydr i'w hymladd.

Ac arweiniodd hynny ei lygaid heibio'r lan a thros yr afon at y llong, eto. Y llong siwgr i Mozambique. Y llong oedd, yn ôl y dyn, yn hwylio ar lanw nos Sadwrn.

PENNOD UN AR DDEG

Roedd prowla yn y Millennium Mall yn gynhesach na sefyll yn awel yr afon oedd yn chwythu ar hyd strydoedd Thames Reach. Fel yr afon, roedd neuadd siopau'r *Millennium* ar ben gogleddol canol y dref yn gwahanu Ystâd Barrier a strydoedd Ropeyard. Ond nid brathiad y gwynt a anfonai Snuff Bowditch i lechu yn y siopau ond y posibilrwydd o ladrad hawdd. Roedd yn rhaid i'r tîm diogelwch batrolio dau lawr o siopau'r stryd fawr, ac roedd Snuff wedi amseru symudiadau'r tîm ers y diwrnod y dysgodd glymu ei gareiau ei hun. Roedd, bob amser, gyfnod o saith munud lle roedd y ddau dîm diogelwch ar yr un llawr, ac roedd mynd i fyny neu i lawr y grisiau symudol yn waith araf gyda'r holl siopwyr twp o'u ffordd. Roedd gan bob siop fawr ei phobl diogelwch a'i chamerâu ei hunan, ond dim ond addurniadau ffenest oedd pethau felly i Snuff. Dyma beth fydd - ai'n ei wneud: cymryd nodyn o'r hyn roedd pawb yn ei wisgo – jîns, trainers budr, top di-ddim gweddol hir – dim rhosyn yn ei dwll botwm na chrys piws i'w wneud yn rhy amlwg – ac fe fyddai'n symud yn gyflym gan gadw'i ben i lawr. Dyma sut y byddai Snuff yn talu am ei gyffuriau felly gwaith oedd hyn iddo ef, gwaith proffesiynol. Ni fyddai'n cerdded o amgylch yn hamddenol gan ddyfalu'r hyn a'r llall ac yna cael ei hun yn y carchar. Fe fyddai'n gwneud ei ddewis rhyw ddiwrnod neu ddau o flaen llaw, pan allai fod yn gwisgo sgert balerina a dim trôns a phawb yn syllu arno fo – nid oedd yn rhoi un cam o'i le'r adeg hynny. Yna fe fyddai'n dod yn ôl yn ddiweddarach i nôl yr hyn roedd arno ei eisiau; crysau, siwmperi, siacedi, cotiau, dillad plant, y stwff roedd pobl eu hangen. Anghofiwch bethau trydanol, dillad oedd orau: dim byd i fynd o'i le. Un ai roedden nhw'n ffitio, neu doedden nhw ddim. Arian parod yn ei law.

Un o'r nosweithiau i edrych a sylwi oedd heno, edrych oedd gan Marks' siacedi o hyd – i ryw foi oedd wedi anghofio'i un o yn y sinema a doedd ganddo ddim wyneb i fynd i'w nôl. Petai rhai yno, fe fyddai Snuff yn dod yn ôl a gwneud y busnes ar ddiwrnod arall, dewis un o'r shifftiau pan fyddai'r boi diogelwch llawn plorod yn gweithio, hwnnw oedd wrth ei fodd yn tynnu sgwrs â merched y tiliau. Fe fyddai'r gôt yn mynd i mewn i fag Marks' o boced Snuff, ac fe fyddai o'n mynd allan drwy'r drws cefn fel dolur rhydd.

Ond pwy welodd o ger y losin a'r siocledi, yn ymarfer ei chastiau hithau, ond Queen Max.

'Snuff!'

'Wotcha.'

'Be ti'n neud?'

'Edrych o gwmpas. At dydd Sadwrn.'

Aeth bar cyffug i lawr crys Queen Max fel sioe hud Madam Miracle. 'Gad dy ddydd Sadwrn.'

'O?'

'Ma'r gair ar lêd. Cicio pen y bachgen du 'na mewn. Mae Baz Rosso isio rhyfel – ac mae o'n mynd i'r snwcer ar ddydd Sadwrn, *ac* mae Charlton adre, pan fydd gan y Glas fwy na llond eu dwylo. Felly'r adeg hynny amdani.'

'Stwff da.'

'Mae gen i frêns.'

'Na, cyffug neis, fy ffefryn i. Dylet ti 'nôl o allan o fan'na'n go handi, neu mi fydd o wedi toddi.'

Llygadodd hi ef. 'Dim problem. Mae hi mor oer â ia i lawr 'na.'

'Ydy, dwi'n dy goelio di hefyd...' Ac fe gipiodd Snuff gyffug iddo'i hun hefyd, dim ond fel ffordd o ymarfer ei grefft.

'Annwyl Iesu'r Arglwydd, be' nesa?'

Efallai fod Laura wedi colli blas ar fwyd ond rhaid oedd iddi helpu paratoi swper. Heno, peli tiwna a stwnsh oedd o i fod. Hi oedd wrthi'n gwneud y stwnsh drwy blicio tatws, tra bod ei mam yn torri'r tiwna'n ddarnau mân a'i fowldio'n grefftus fel clai chwarae. Roedd ei llygaid wedi glynu wrth y teledu a'r newyddion lleol.

'Dim ond sglyfath fyddai'n gwneud y fath beth!'

Eisoes, bu bron i Laura dorri un bys i ffwrdd. Rŵan, rhoddodd y gyllell i lawr, er mwyn sadio'i hunan.

'*Joy ride* a tharo merch fach a ballu. O gwmpas fan'ma. A gyrru i ffwrdd! Be' nesa, Arglwydd, be' nesa?'

Teimlai Laura fel petai hi ar fin taflu i fyny dros y swper. Roedd ei phechod yn tyfu o hyd. Bellach roedd wedi cyrraedd tai pawb drwy'r teledu.

'Hwyrach bo' nhw ddim yn gwybod beth roedden nhw'n ei wneud...'

Aeth pêl tiwna arall i'r fowlen, ond gan fod mam Laura'n taflu â'r fath rym, ffrwydrodd yn deilchion fel grenâd. *'Ddim yn gwybod?* Sut alle rhywun beidio â gwybod eu bod nhw wedi gwneud rhywbeth fel'na? Rasio rownd y strydoedd 'ma heb blatiau! 'Di'r car 'na ddim yn gyfreithlon i gychwyn...' Rhol - iodd y belen tiwna eto ac yna pwyntio carn y gyllell datws at Laura, â golwg arni oedd yn dweud *tyrd o'na!* '"Ddim yn gwybod beth oedden nhw'n ei wneud"! Arglwydd, bydd drugarog. Roedden nhw'n gwybod ac maen nhw'n haeddu cosb gan Dduw, pwy bynnag oedden nhw, dydw i ddim isio'u gweld nhw'n mynd i fyny i'm nefoedd i, dwi'n dweud wrthot ti.' Edrychodd at y nenfwd, fel pe bai'n disgwyl gweld ei nefoedd yno. 'Beth bynnag, be' ydi'r "nhw" yma? Glywes i mo'r newyddion yn dweud "nhw"...'

Rŵan, disgynnodd y gyllell plicio tatws i'r llawr â chlec, a phlygodd Laura i'w chodi, gan feddwl na allai godi ar ei thraed byth eto. Ond roedd ei mam wedi dweud hynny gyda chyffyrddiad ysgafn, a rŵan roedd hi'n dechrau dadlau efo dynes y tywydd.

'Yli'r colur ar y ddynes yna! A'r flows. Oes ganddi hi ddim cywilydd, yn paredio fel'na o flaen y genedl?'

Rhywsut gorffennodd Laura ei thatws a defnyddio ei gwaith cartref fel esgus. Ond o feddwl sut roedd hi'n teimlo, gallai hi fod wedi gwneud yn union beth ddwedodd hi wrth Theo: cerdded allan trwy'r drws ffrynt, i lawr at yr afon, a thaflu ei hunan lle bu bron i Kaninda ddisgyn. Ta-ta. Am byth. Heb sôn am ymateb Ffederasiwn y Ropeyard, heb sôn am y gyfraith – fe fyddai ei mam a Duw yn dial ar y bechadures ofnadwy yma gyda'r gosb fwyaf. Gall-ai'r Pab ei hesgymuno ac felly hefyd Capten Betty Rose: ni fyddai bod yn ferch iddi yn esgus digon cryf yn wyneb y ffaith ei bod hi'n bechadures. Nid oedd unman i droi, unman i fynd. Roedd Sharon Slater yn gwybod popeth, a mwy na thebyg wedi dweud wrth frawd Theo, Mal, a Lydia hefyd, a rŵan roedd hi bron â rhoi ei throed ynddi yn y ffordd fwyaf clasurol i ddihiryn. Dim ond mater o amser oedd hi rŵan. Yr hyn roedd hi wir ei angen oedd dod o hyd i ffôn er mwyn siarad â Childline neu'r Samariaid – neu gael rhywun mwy cyfrifol na Theo i fod gyda hi yn y twll hwn.

Safodd yn ei hystafell wely a syllu i'r drych. Gallai edrych yn ddeunaw yn hawdd – ac roedd merched yn rhedeg o'u cartref i Lundain, on'd oeddent? Sut le oedd Manceinion, neu Glasgow? Allai hi wneud y gwrthwyneb – rhedeg *o* Lundain, a dechrau bywyd newydd ar y strydoedd yn rhywle? Roedd eraill wedi gwneud hynny, ac fe allai hi edrych ar ei hôl ei hun.

Ac fe fyddai'n rhaid iddi – oherwydd, lle'r oedd Duw? Roedd hi eisiau crio dan anghyfiawnder y peth. Heno, roedd hi wedi atal Kaninda rhag cwympo i'w farwolaeth, roedd hi wedi achub bywyd; heno roedd un enaid ychwanegol yn fyw o'i herwydd hi. Ond, oedd hynny'n cyfrif? Oedd hynny'n ffitio yng nghynllun mawr Duw? Crychodd ei hwyneb tuag at nenfwd y llofft, tuag at y cyfeiriad roedd ei mam yn credu roedd y Nefoedd. Petai hi wedi medru poeri mor bell â lamp yr efengyl, fe fyddai wedi gwneud hynny. Roedd hi wedi rhoi ail gyfle i Dduw, ac wedi troi'n ôl o fod yn rebel a dyma sut oedd Ef yn diolch iddi. Roedd hi wedi gweddïo nes bod ei llygaid yn brifo o'u cau gyhyd, nid oedd hi wedi medru canfod digon o eiriau i ddweud pa mor ddrwg oedd hi wrth ofyn am ychydig o drugaredd – a'i fusnes Ef oedd hynny i fod, ie? A, beth? Roedd Ef yn gwybod y byddai hi'n gwneud y peth iawn, roedd Ef yn gweld popeth, roedd Ef yn gwybod ei bod hi wedi gwneud dêl â Theo i wneud y pethau iawn i gyd, yn ôl y gyfraith, er mwyn ei henaid tragwyddol. Ond beth oedd Ef yn ei wneud? Fel diolch iddi, roedd Ef wedi rhoi'r peth ar South East Today!

Bellach, roedd hi *yn* crio: ar ei gwely, ei hwyneb i lawr, yn arogli'r Comfort yn y defnydd a dyna'r unig 'gysur' roedd hi'n mynd i'w gael. Wel, roedd hi wedi gwneud y peth iawn yn cicio dros dresi Milwyr Duw: y pethau roedd hi wedi eu gwisgo'n gyfrinachol, y cusanau roddodd hi i Theo, unrhyw un o'r pethau wnaeth hi a fyddai wedi anfon ei mam i neidio mewn cynddaredd gan weiddi, 'Jesebel!' – roedd hi wedi bod yn llygad ei lle, gan nad oedd y fath beth â chyfiawnder Duw drwy fyw y ffordd arall.

Cododd o'r gwely – a'r munud y gwnaeth hi hynny, cafodd ei rhewi gan wichian y drws. Roedd rhywun yno, yn mynd heibio neu ar fin byrstio i mewn! Daliodd ei hanadl orau ag y gallai trwy'r beichio crio, ceisio rhoi golwg ar ei hwyneb fyddai'n dderbyniol i rywun wrth edrych arni, dim gwneud smic, gwrando. Ond roedd pwy bynnag oedd yno wedi pasio. Mae'n rhaid mai Kaninda oedd yno, yn mynd i lawr y grisiau.

Yna, gwelodd rywbeth: y silff lyfrau oedd yn rhedeg hyd ben yr hen le tân, i'r chwith o'r cwpwrdd dillad. Nid oedd ei llyfrau yn eu trefn; yr awduron du ddim gyda'i gilydd – a hi ddylai wybod gan mai hi roddodd nhw yna. Ac roedden nhw'n disgyn i un ochr yn llac, nid wedi'u gwasgu'n dynn at ei gilydd, fel petai rhai wedi cael eu tynnu allan. Felly, beth oedd ar goll? Ceisiodd ddyfalu, ond nid oedd mewn unrhyw gyflwr i wybod beth ddylai fod yno a beth na ddylai fod. Ei dyddiadur? Roedd hi'n cadw dyddiadur bach tenau rhwng y llyfrau hynny, lle na fyddai ei mam yn ei ddarganfod – cerddi, cyfaddefiadau gwirion, geiriau hoff ganeuon – nid oedd o wedi bod â'i fysedd ar hwnnw, oedd o? Oherwydd, gwyddai pwy oedd wedi bod yn ei hystafell: Kaninda. Roedd ei mam yn gadael ôl, gyda'i cheg. Doedd dim gobaith fod ei mam wedi bod yn yr ystafell hon heb fytheirio am yr iwnifform ysgol wedi'i thaflu i'r gornel ar y llawr. Ni fyddai ei thad yn meiddio; nid oedd brin yn meiddio mynd i mewn i'w ystafell wely ei hun. Na, rhaid mai Kaninda oedd wedi bod yno'n busnesa.

Ac roedd o newydd fynd i lawr y grisiau. Felly, beth oedd o wedi'i fachu? Wel, roedd un ffordd hawdd o gael y gwir.

Nid oedd Kaninda i lawr y grisiau. Fel Snuff Bowditch, roedd o'n prowla, ond nid yn y Millennium Mall; roedd o ger yr afon, heibio'r Thames Barrier.

Yma ac acw, agos a phell – er, nid mor bell, nid mor bell rŵan, meddyliodd. Yfory, fe fyddai'n dial ar Faustin N'gensi mewn modd oedd yn gwneud iddo lyfu ei weflau ag awch, yn gwneud i'w waed guro'n wyllt yn ei dalcen – ond wedi hynny, fe fyddai'n dychwelyd i ryfel hefyd cyn hir; neu ddechrau dychwelyd, drwy guddio ar y llong siwgr i Mozambique.

Roedd yr atlas o ystafell y ferch wedi dangos iddo. Fe fyddai'r llong yn mynd i borthladd Maputo, neu Beira; gwell fyth os oedd hi'n mynd ymhellach, yna fe fyddai'n cerdded i'r gogledd, dros y ffin i mewn i Zimbabwe ac i Lasai. Fe fyddai'n ffordd faith, ond efallai y cai ambell lifft ar y ffyrdd a'r llwybrau cefn, neu hyd yn oed ar Afon Limpopo ar gwch, ac o ran peidio â chael ei ddal, roedd wedi cael hyfforddiant i fod mor anweledig ag ysbryd.

Roedd y pethau hyn yn mynd yn dda – ond roedd tyndra yn ei fol o'r dyddiau a fu. Roedd wedi bod mewn perygl enbyd ym myddin y gwrthryfelwyr: wedi dianc o fewn trwch blewyn â'i fywyd pan laddwyd y platŵn ar air Rhingyll Matu; roedd wedi rhedeg rhag bwledi sawl tro ac wedi cuddio lle byddai anifeiliaid gwyllt yn stelcian – ac ar y noson ddychrynllyd honno ar ddechrau hyn oll, roedd wedi'i adael i farw yn ei gartref ei hun, gan aros i'r bwledi anfon tyllau i mewn iddo yntau, hefyd. Ond roedd heno wedi bod yn noson arall o berygl dirfawr – bron wedi'i ladd, a'r unig beth a ddaeth i'w achub oedd dwylo'r ferch yna, yn ei arbed rhag disgyn ar y creigiau. A rŵan, roedd ganddo gynllun, roedd o am fyw. Fe fyddai'n rhoi saliwt iddi hi ryw dro cyn gadael.

Y benbleth oedd darganfod ffordd o groesi'r afon at y llong. Nid oedd ganddo obaith pasio'r llu diogelwch ar ochr y tir, ond fe fyddai croesi'r afon yn ei gludo at y llwybrau a grisiau cei'r burfa, ac nid oedd llygod-mawr-diogelwch ar ochr y angorfa – roedd o wedi sylwi hynny. Ond roedd hefyd wedi gweld y cerrynt, wedi gwylio darnau pren yn cael eu cario i fyny'r afon yn gyflymach na cherddediad dyn. Ni allai nofio drwy hynny; ond wrth ochr yr afon, dylai fod cychod bach bob amser. Dyna pam ei fod yno.

Arweiniai llwybr yr afon at ffatrïoedd ar un ochr a'r afon ar yr ochr arall. Roedd hen lanfeydd yno, cledrau trên yn arwain i nunlle, cludfeltiau yn rhedeg uwchlaw lle'r oedd tywod yn cael ei gludo o longau i domen anferth oedd yn fwy fyth na'r domen siwgr crai a welodd yn y burfa. Oddi tano, roedd y mwd yn sugno, roedd sbwriel y byd yn cael ei gaethiwo mewn cilfachau ac o dan y pyst pren. Gorweddai cath farw yn y fan lle cafodd hi'i gadael gan y llanw uchel, ei ffwr wedi diflannu mewn darnau, ei chynffon mor foel ag un llygoden fawr.

Cerddodd Kaninda rownd cornel arall i weld rhes o dai yn wynebu'r afon ac, wrth eu hochr, roedd yr union beth roedd wedi bod yn chwilio amdano! Cwch bach, wedi'i glymu i starn rywbeth arall mwy â chaban iddo, yr 'Argy Bargy', fel cwch pentrefwr mewn is-afon, y math o beth y byddai ei ffrindiau yn Katonga wedi'i ddefnyddio â pholyn i'w wthio drwy'r dŵr bas gan edrych am wyau adar afon. Nid oedd polyn yno – ond ymysg yr holl falurion, fe fyddai digon o bren i greu rhwyfau o ryw fath, hen ddigon.

Edrychodd heibio'r 'Argy Bargy' a gwelodd ragor o gychod wedi eu clymu i res o fwiau, nid nepell o'r lan; rhai gyda dingi wrth eu starn. Eto, hen ddigon. Edrychodd i lawr yr afon drwy'r Barrier ac at lle'r oedd y llong siwgr wedi'i hangori, a lle'r oedd y dadlwytho'n dal i fynd rhagddo. Tua milltir i ffwrdd. Ond eto, on'd oedd o wedi *nofio* milltir i ddianc rhag yr Yusulu pan gafodd Rhingyll Matu ei saethu? Siawns y gallai rwyfo hynny rŵan. Gloyw - odd ei lygaid. Y tu mewn iddo, teimlodd gic sydyn, cic llwyddiant bychan, teimlad o obaith. Roedd cyn - llun ganddo, a rŵan gallai weld y byddai'r darn cyntaf ohono yn gweithio.

Felly, am y tro cyntaf ers misoedd, gwenodd Kaninda Bulumba.

Roedd y cwch ger glanfa fechan. Roedd ei berchennog yn plygu i mewn iddo gan daflu dŵr o'i waelod ar ôl ei orlwytho. Nid ar gyfer pysgota'n unig yr oedd cychod o'r fath. Yn y gwlypdir ger glannau Llyn Albert, roedd y cychod bychain yn cael eu defnyddio fel cludiant – yn arbennig i fyny ac i lawr y cilfachau oedd yn arwain at y pentrefi a'r marchnadoedd mewndirol. Coco, bananas, ffa a plantain yn dod i lawr, pysgod yn mynd i fyny. A phobl. Ar hyd yr afonydd bychain, roedd pobl hyd yn oed yn mynd i'r eglwys mewn cychod, rhai plant yn mynd i'r ysgol.

Roedd y platŵn ar ei ffordd i'r rendezvous yn y gogledd. Roedden nhw'n ymlacio ar lannau'r llyn, gyda choedwig law dew wrth eu cefnau a gofod mawr y llyn o'u blaenau. Sefydlwyd mannau gwyliadwriaeth, ond roedd y platŵn mewn lle da i beidio â chael ymosodiad arno heb rybudd. Erbyn hyn, roedd gair wedi cyrraedd am gelc o arfau Yusulu oedd wedi'i ddarganfod mewn pentref i fyny cilfach fechan. Byddai Rhingyll Matu yn mynd i archwilio'r arfau – gallent fod yn rhydlyd a diwerth. Ond, roedd yn rhaid cadw llygad craff ar y dŵr wrth wthio'r cwch drwy'r dŵr gyda pholyn, a llygaid eraill eu hangen i edrych am Yusulu, ac i groesi. Rhag ofn fod yr arfau yn rhai da, roedd Rhingyll Matu angen rhywun bychan ac ysgafn i fynd gydag o, rhywun na fyddai'n cymryd gormod o le.

Dewiswyd Kaninda.

Nid Kibu na Yusulu oedd dyn y cwch. Ym mhob rhyfel, mae rhai pobl yn gaeth yn y canol, ac yn perthyn dim i'r naill ochr na'r llall. Esboniodd y dyn hwn wrth Rhingyll Matu ei fod o'n dod o'r lan ar ochr Uganda y llyn, wedi

dod i'r gogledd o Lyn Fictoria pan oedd penhwyaid y Nil
wedi bwyta pob pysgodyn bach arall ac wedi mynd â'i
fywoliaeth gydag o: a chan ei fod o'n un o'r rhai hynny
oedd yn symud o un lle i'r llall ar drywydd bywoliaeth,
nid hawdd oedd ildio ei gwch i achos y Kibu. Ymddi-
heurodd, roedd oedd o yn Lasai, ond nid ei ryfel o oedd
hwn.

Derbyniodd Rhingyll Matu amharodrwydd y dyn hwn
a cherdded ymaith gyda Kaninda, ger y lan.

'Nid hyn fydd ei diwedd hi,' meddai. 'Sigaréts efallai.'
Arian oedd sigaréts. Fe fyddai dau neu dri phecyn yn
daliad ar gyfer hanner diwrnod o ddefnydd y cwch. 'Pan
fydd o wedi gadael y cwch, dad-glyma fo ac aros amdana
i i fyny'r afon. I arbed amser, deall?'

Cytunodd Kaninda. Tasg syml i filwr.

Aeth ati'r ffordd hir, gan rydio drwy'r papyrus yn y
dŵr bas, mor llechwraidd â neidr ddŵr, tra bo Rhingyll
Matu yn mynd yn ôl at y dyn. Wrth nesáu, gwelodd
Kaninda fod y rhingyll wedi mynd ar ei gwrcwd ar y lan
a chynnig sigaréts, mewn osgo di-fygythiad cyfnewid.
Aeth y dyn ar ei gwrcwd hefyd, a chymryd rhai. Yna
roedd siarad a chytuno, ac aeth gyda Rhingyll Matu at y
lle y byddai mwy o sigaréts.

Dyma oedd ei foment. Daeth Kaninda allan o'r hesg,
dŵr lleidiog at ei frest rŵan. Nofiodd at y cwch, tair strôc
gyflym. Roedd y cwch wedi'i glymu wrth ei flaen. Ceis-
iodd wthio'i fysedd i mewn i'r cwlwm gwlyb; ond nid
oedd sisyrnau yn y fyddin Kibu, dim sisyrnau tocio gwrych

167

fel y rhai a oedd yn 14 Ffordd Bulunda. Roedd pawb yn cnoi eu hewinedd. Sut allai o gael ei fysedd i mewn i'r rhaff dynn? Sut oedd dyn y cwch yn llwyddo? Yna gwelodd: roedd pen y rhaff a fyddai'n ei ryddhau wedi'i rwymo wrth bren unionsyth gyda chlo clap. Rhaff i'r gadwyn i'r clo clap.

Ond, er mor galed roedd o'n trio, ni allai dynnu'r staplau o'r pren. Tynnodd a throdd â'i holl nerth, ond nid oedd digon o nerth ganddo. Roedd wedi'i ddewis ar gyfer ymgyrch arbennig ac roedd yn methu. O'r holl fechgyn yn y platŵn, ef gafodd ei ddewis ac ef oedd yr un i fethu.

Aeth yn ôl at ben ôl y cwch gan geisio datglymu'r cwlwm eto, mynd ati mewn panig â'i ddannedd. Ond roedd yn wlyb, yn llithrig, yn galed. Petai Kaninda wedi bod yn fachgen ag unrhyw ddeigryn ar ôl y tu mewn iddo, fe fyddai wedi dechrau crio rŵan. Methiant oedd o.

Chwibanodd Rhingyll Matu drwy ei ddannedd – roedd o'n cerdded yn ôl ger y lan, ar ei ben ei hun, tuag at Kaninda. 'Dim problem,' meddai, a gyda slaes gyflym â'i gyllell Buck Americanaidd, rhyddhaodd y cwch.

'Roedd o'n rhy dynn.'

'Felly torra. Dim cyllell, dim milwr,' meddai Rhingyll Matu. Ond nid oedd malais yn ei lais; roedd rhywbeth wedi mynd yn dda.

'Cytunodd dyn y cwch?' gofynnodd Kaninda.

'Mae'n fodlon.'

Ac fe aeth yr ymgyrch fel y cynlluniwyd ef, gyda phentwr o reifflau barilfollt da yn y guddfan arfau; ond

addunedodd Kaninda na fyddai'n mynd ar y fath ym-
gyrch eto, heb yr offer iawn.

Felly roedd angen cyllell arno. Roedd y cwch yma ar afon Tafwys wedi'i glymu â rhaff sisal las, hyd yn oed mwy anhyblyg na rhaff arferol, ond roedd llawer o gyllyll miniog yng nghegin Mrs Capten Betty Rose...

Roedd y cynllun hir dymor yn gadarn. Ond yn gyntaf, roedd y dial ar yr Yusulu i ddod, pan fyddai Theo'n dod â N'gensi at yr afon. *Yna* fe gai ddweud wrth ysbryd ei dad mewn breuddwyd fod pethau'n mynd yn well.

Gadawodd yr afon a throedio'r ffordd yn ôl at Stryd Wilson. Dyma'r ffordd roedd wedi'i cherdded o'r ysgol am hanner dydd, trwy strydoedd y ffatri lle'r oedd cerbydau enfawr mewn rhesi, y math sy'n plygu yn eu hanner gyda chwe set o olwynion. Darllenodd ar eu hochrau o ble roedden nhw'n dod, ledled Prydain – Lerpwl, Manceinion, Glasgow. Wrth edrych i fyny at y cabanau, ymddangosent fill-tiroedd i ffwrdd, gyda llenni y tu ôl i'r seddi lle'r oedd y bynciau cysgu. Roedd wedi gweld y rhain ym Mhorthladd Lasai, wrth gerdded gyda'i dad, ond y tro hwnnw, roedden nhw'n bethau â mwy o hwyl yn perthyn iddyn nhw, fel teithio ar y y trên Gogledd-De.

Ond roedd y gwres a ddeuai ohonyn nhw, a'r oglau tanwydd, yn gyfystyr â byddin iddo bellach;

nid mynd am dro ar ddydd Sul, ond cerbydau rhyfel. Ymladd oedd ei ffordd newydd o fyw.

Cerddodd heibio i lori ar ôl croesi'r ffordd, ac aeth heibio blaen y modur poeth. Wrth edrych ar hyd y palmant, gwelodd ferch wrth un o'r cabanau eraill. Roedd hi mewn sgert gwta, yn edrych i fyny; a chododd droed i sefyll ar y plât mowntio gan dynnu ei hunan i fyny er mwyn gweld trwy ffenestr y caban.

Nid oedd hi wedi gweld Kaninda, felly safodd yn ôl o'r stryd, allan o'r golwg. Dyfalodd sut fath o fusnes roedd hi'n ei wneud, ac nid oedd o am gael ei weld yn gweld hynny. Dyna'r math o ferch a fyddai'n gwneud i yrrwr deimlo'n hapus, ymhell o gartref, ac efallai na fyddai un o'r gyrwyr hynny'n cael ei blesio petai plentyn yn y stryd yn gweld hynny.

Cyfrodd i ddeg yn araf, yn fanwl, fanwl fel Rhingyll Matu, heb frysio: pan oeddech chi ar ymgyrch, roedd yn bwysig gwybod y gwahaniaeth rhwng eiliad a churiad calon ar ras. Yna cyfrodd gant arall, ac edrychodd allan – i weld y ferch yn nesáu.

Laura oedd hi. Laura mewn colur, yn edrych fel petai hi'n ugain oed, mewn top lledr a'i gwddf hi'n noeth a gwag, heb y groes aur roedd hi bob amser yn ei gwisgo.

Daeth allan o'i guddfan.

'Kaninda!' ond nid oedd fel petai cywilydd arni. Syllodd arno, nid fel Laura bellach ond fel rhywun diarth. 'Dwi'n gwybod be' wyt ti'n ei wneud.' Arhosodd, gan edrych i fyw ei llygaid.

'Rwyt ti'n mynd i redeg. Rwyt ti'n barod i fynd.'

Culhaodd ei lygaid, nid oedd wedi deall ei geiriau hi.

'Mae gen ti gynllun – dwyt ti'n un lwcus?' Ac yn sydyn, roedd ei breichiau hi am ei wddf, ac roedd hi'n ei wasgu'n dynn, yn dal ynddo â'i holl nerth, ei chorff yn crynu a'i llygaid yn crio dagrau poeth gwlyb i mewn i'w grys – y ferch hon oedd wedi'i gipio cyn achub ei fywyd.

Felly daliodd yntau'n dynn hefyd, a gadael iddi grio. Meddyliodd am Gifty mewn trafferth, am ei fam pan fu farw ei dad, ac yntau'r unig ddyn yn y tŷ pan ddaeth y newyddion. A meddyliodd amdano'i hunan, ac am faint o amser oedd wedi mynd heibio ers i unrhyw un ei ddal mor dynn ac ers iddo yntau deimlo eu cynhesrwydd. Roedd o wedi dal pobl oedd wedi'u hanafu, a hwythau wedi gafael ynddo yntau; ond rŵan roedd o'n dal merch, ac yn sydyn roedd hyn yn rhywbeth roedd o eisiau ei wneud am byth.

Ni allai ddweud dim, ond roedd ei wefusau'n cusanu'r dagrau ar ei bochau.

'Na.' Tynnodd yn ôl. 'Sori.'

Edrychodd ar y llawr.

'Dwi'm yn gwybod be dwi'n ei wneud, lle dwi'n mynd, be o'n i'n ei wneud, yn rhedeg i ffwrdd fel'na. Ti'n gweld, dwi'n...'

'Trafferth sgen ti?'

'Ie, trafferthion. Ro'n i... Well i mi fynd yn ôl...'
Ond mae'n rhaid ei bod yn glir ar ei wyneb o, sut
olwg oedd arni hi. 'Alla i ddim mynd fel'ma, na alla'
i?'

Aeth Kaninda i'w boced a darganfod hances Mrs
Capten Betty Rose, a safodd yng nghysgod lori i
ddefnyddio dagrau Laura ei hun i olchi ei hwyneb.

Helpu'r ferch oedd wedi achub ei fywyd.

PENNOD DEUDDEG

Gallai Theo Julien berswadio cragen fylchog i agor drwy wneud dim byd ond siarad â hi. Ocê, doedd o heb gael unrhyw lwyddiant wrth geisio gwerthu cipolwg o anaf Kaninda – ond naw deg naw y cant o'r amser, roedd rhywfaint o baldaruo yn sicrhau'r hyn roedd o ei eisiau. A dêl heddiw oedd cael Faustin N'gensi at y Barrier.

Nid peth mor hawdd â hynny – o feddwl fod Faustin yn cael ei warchod gan athrawon byth a hefyd. Efallai y byddai hynny'n newid, wrth i argyfwng nesaf yr ysgol daro, ond cyn naw o'r gloch ac yn ystod pob egwyl, roedd Faustin yn cael ei wylio fel carcharor Categori A yn cael ychydig o awyr iach.

Ond, waeth pa mor pos-i-tif ydi rhywun, rhaid i bawb biso; a phan aeth Faustin i'r toiled, arhosodd Mr Long y tu allan i sicrhau nad oedd Kaninda'n mynd i mewn yr un pryd. Ond fe allai eraill fynd i mewn – ac yn ystod amser cinio, teimlodd Theo yr angen i 'fynd' yn union yr un pryd â Faustin.

Llipryn o fachgen tawel oedd Faustin, a wisgai ei iwnifform ysgol fel clerc y ddinas, nid fel milwr ar waith. Roedd ei fysedd hir yn siwtio pianydd yn fwy na chomando, ac yn Lasai, cario bag dogfennau roedd o wedi'i wneud, nid gwn.

'Hei, Foz, *man*, ti ar ben dy hun?'

Roedd Faustin yn golchi ei ddwylo ond yn edrych yn y drych ar yr hyn oedd y tu ôl iddo. 'Athro...' Trodd at y drws, gan edrych fel petai'n barod i redeg, petai rhaid, neu weiddi.

'Ti ar ben dy hun yma – ar ben dy hun lle rwyt ti'n byw? Dim brodyr a ballu?'

Ysgydwodd Faustin ei ben.

Roedd Theo wrth y lle piso, ei ddwylo'n brysur, dim yn fygythiad o unrhyw fath. 'Ti'n ffonio adre wyt ti? Ti'n gwybod, Affrica? Neu, oes gen ti neb i ffonio – ella mai dyna pam ti 'ma, ella.'

'Mae chwaer gen i...'

'Rili? Lle? Yn Llundain? Efo rhywun arall?'

Ni ffwdanodd Theo efo golchi'i ddwylo. Aeth at Faustin a rhoi ei fraich am ei ysgwyddau fel mêts gorau, a'i gerdded allan o'r toiledau gan roi winc i Mr Long ar y ffordd i lawr y grisiau.

'Rhywle, efo rhywun arall.' Cododd Faustin ei ysgwyddau. 'Ysgol lleiandy Lasai. Ry'n ni wedi ein gwahanu.'

'Tyff, *man*. Ti'n gw'bod, o'dd gen i chwaer a ballu. Un tro.' Ffliciodd Theo ei fysedd, ta-ta. ''Run peth â ti – dwi'm yn gwybod chwaith...'

Roedden nhw wedi cyrraedd drws y llawr gwaelod a arweiniai i iard yr ysgol. 'Ond fy mrawd i, Mal, mae o'n rhedeg – na, dio'm yn rhedeg o, mae o'n gweithio i – i'r siop ffôn yma yn Deptford. Ti'n gw'bod – galwadau rhad i'r Caribî, i Nigeria, Ghana, o lle ti'n dod...'

'Lasai?'

'Ie, y math yna o beth. Os ti isio mynd 'mewn 'na i wneud galwadau i rywle, fel lle sy'n delio â phobl ar goll, y Groes Goch, lleiandai, pasio'r gair o gwmpas am dy chwaer – tydi galwadau hir ddim mor ddrud â hynny – dwi'n siŵr galle Mal ei sortio fo i ti. Neu ffacs. Pos-i-tif.'

Edrychodd Faustin ar Theo yn galed, cyn troi ei ben i edrych o gwmpas yr iard fel aderyn nerfus ar fin bwydo.

'Ond dwi'm yn gwybod dim. Mae'n siŵr fod yr hen ddynes, lle ti'n byw, yn gadael i ti ddefnyddio'r ffôn fel ti' isio, ydi? T'weld, mae popeth yn helpu 'mrawd i yn y cyfnodau slac. Werth trio, tydi?'

Llyncodd Faustin, ei afal breuant yn symud yn amlwg.

'Ddweda'i beth, tyrd draw i 'nhŷ fi heno ac mi dara i fargen â ti. Wedyn, dy ddewis di ydi o.'

'Lle?'

'Lle dwi'n byw? Lawr wrth yr Ystâd Barrier. Dio'm yn bell.'

Gwgodd Faustin. 'Elli di'm dod â fo i'r ysgol?'

'Na, rhaid i ti siarad efo Mal. Fo sy'n gwneud y dêl.'

Meddyliodd Faustin am y peth. 'Ocê,' meddai. Daeth golwg pell-i-ffwrdd i'w lygaid, fel rhywun yn ceisio edrych dros gyfandiroedd. 'Da iawn.'

'Wela i di wrth tŷ ni. Pioneer House. Mi ddwedith unrhyw un wrthot ti. Hanner awr wedi chwech.' Cerddodd Theo i ffwrdd a darganfod Kaninda mewn cornel. 'Mae'r gêm 'mlaen! Mi chwaraeais i'n dda – rhaid 'mi ganmol fy hunan, achos doedd o'm yn mynd i fod isio "smack" nag oedd o?'

'Ti heb ddeud am y Criw wrtho fo.'

'Neg-a-tif. Ffeindies i allan am 'i chwaer o gan ryw foi yn 'i ddosbarth o.'

Wrth aros yn nhanffordd y Barrier, clywodd Kaninda slap dŵr yn erbyn wal yr afon wrth i gwch fynd i fyny'r afon. Nid oedd unrhyw fath o draffig afon arall o fewn golwg, ac nid oedd fel petai unrhyw un arall yn dod yno: nid lle cyhoeddus poblogaidd mohono, fel Parc Afon Fflamingo yn Ninas Lasai. Ni fyddai plant yn chwarae ar y siglen na'r rhaffau, mor bell o'u fflatiau, a phob tro y bu Kaninda yma, ar ei ben ei hun oedd hynny, neu gyda phobl roedd yn eu hadnabod: lle da i ladd. Roedd y dŵr yn iasol, y llanw'n rhedeg allan – fe fyddai cwymp rhywun yn cael ei dorri ond eto, ni allai N'gensi nofio, na allai? Fe fyddai'n ddigon i roi diwedd arno.

Ac, wrthi'n dod i lawr y llwybr o'r fflatiau Barrier roedd dau ffigwr: dau fachgen, y ddau'n ddu, un yn cerdded yn syth, y llall yn jiglo fel milwr wedi eistedd ar nyth morgrug.

Arhosodd Kaninda yng ngheg dywyll y danffordd, gwnaeth ddau hollt o'i lygaid gan fod gwyn llygaid yn gloywi: ni fyddai'n dal N'gensi petai o'n dechrau dianc o ble'r oedd o, rhaid fyddai i Kaninda aros hyd nes y gallai gipio'r gelyn. Pwysodd yn ôl hyd yn oed yn bellach wrth iddo glywed llais Theo'n parablu.

'Bydd Mal yma mewn munud. Mae'n gweld cwsmer yn y Barrier, wedyn yn dod yma tua chwarter wedi...'

Gallai ddweud celwydd mor rhwydd â Rhingyll Matu'n dweud wrth garcharor y byddai o'n cael ei ollwng yn rhydd.

'Jest lawr fan'ma...'

Yng nghysgodion y noson hon o wanwyn, gwelai Kaninda wyneb N'gensi, yn edrych fel wyneb dyn yn barod i redeg am ei fywyd, dim llawer o ffydd ynddo fo...

'Trwy fan'ma, Foz. Pos-i-tif.'

Ond mewn tanffordd, nid oes modd rhedeg i'r chwith na'r dde. Metr o'r agoriad, stopiodd Faustin fel ebol amheus – wrth i Kaninda neidio o'r cysgodion. 'Yusulu!' Daeth ato'n gyflym, ei freichiau allan yn syth er mwyn cipio Faustin i mewn i dafliad o law i law – gafaeliad ffyrnig yn yr ysgwyddau, cicio'r coesau i'r ochr, ac roedd Faustin N'gensi ar y llwybr oddi tano, yn barod i dderbyn naid gyda phen-glin rhwng ei goesau. Tynnu llaw o un ysgwydd a'i rhoi ar yr wyneb, ac yna roedd yr wyneb Yusulu wedi'i dynnu ar i fyny ac yn cracio yn erbyn y concrid.

'Iesu, Ken!' Safodd Theo'n ôl o'r ymosodiad. 'Stwffio hyn!'

Ni chlywodd Kaninda ddim, ni welodd o ddim, ond wyneb cas N'gensi â'i geg ar agor, wedi'i hanner gnocio allan. Nid oedd unrhyw wrthsefyll ynddo: mater o dyny'r bachgen i fyny, dros y rheilen ac i'r afon.

Ond roedd deuddydd tan ddydd Sadwrn. Nid oedd eisiau tystion i hyn; fe allai tystion gael eu gorfodi i siarad. 'Dos!' gwaeddodd wrth Theo. 'Dos – neu mi gei di hi hefyd!'

Camodd Theo'n ôl i'r cysgodion. 'Dwi'm yma, *man*, dwi'm yma!'

Gyda'r bachgen yn dal i simsanu, tynnodd Kaninda fo i'w draed a'i wthio i sefyll yn erbyn rheilen yr afon. Llaw wrth ei wddf, y llall o dan gesail ei forddwyd, a'i godi – drosodd! I lawr i'r cerrynt gwyllt. Ond—

'Dwi yma, yn union fel ti!'

Roedd N'gensi yn dod yn ôl at ei goed. Gwnaeth y sioc i Kaninda oedi am funud.

'*Nid* fel fi! Kibu ydw i, Yusulu wyt ti.'

'A dim teulu gan y ddau ohonon ni.' Prin y gall-ai'r bachgen wasgu ei eiriau allan gyda gafaeliad Kaninda yn ei gorn gwddf mor dynn. 'Nid ymladdwr ydw i. Mi elli di... fy lladd i'n hawdd. Ond dwi'n dal... r'un peth â ti.'

Aeth llaw Kaninda o dan gesail ei forddwyd i'w daflu. 'Ocê, dim teulu. A pham?!' Codi'r Yusulu i fyny yn barod i rolio, heb boeni am y posibilrwydd y gallai roi pwniad. Pam ddylai Kaninda wrando ar bledio hwn am drugaredd; roedd Gifty fach wedi pledio a gweiddi i gael achubiaeth pan saethodd tylwyth y bachgen yma hi, gyda gwên ar eu hwyn-ebau. Rŵan, ceisiodd Kaninda ddarganfod gwên lladdwr o rywle, ond nid oedd hynny'n hawdd rywsut, gyda geiriau'r bachgen yn ei glustiau fel carreg ateb taniadau gwn. 'Gelyn! Yusulu!' Codiad penderfynol newydd, cael N'gensi i'r rheilen bren.

'Dim fi gychwynnodd o! Ti...' Pledio wedi'i dagu a gwingo bach ffyrnig ond gwan, fel pysgodyn yn nwylo ei dad.

'Neg-a-tif, Ken.' Roedd Theo wedi dod yn ôl, gan redeg. 'Gen i ddigon o waed ar fy nwylo'n barod. Dwi'm yn dawnsio i'r rap 'ma.' A thynnodd Kaninda oddi wrth Faustin, a fyntau'n crychu'n llipa i'r llwybr.

Felly, Theo! Trodd Kaninda i ymosod ar y bradwr, gan anadlu'n drwm a phoeri gwaed casineb i'r llawr, wrth i Faustin godi i'w ben-gliniau, i'w goesau, a darganfod y cryfder yn ei goesau i redeg o'r llwybr.

'Sori, Ken...' Safodd Theo yn ffordd Kaninda, ond camodd yn ôl eiliad wedyn, cledrau ei ddwylo i fyny ac yn pledio arno, a chamodd yn ôl ddigon i roi pellter rhyngddo a Kaninda, i droi ac i redeg â chyflymder Olympaidd, at Ystâd y Barrier a'i fflat.

Gollyngodd Kaninda ei ddwylo a'i wylio'n mynd, gan anadlu fel ci ffyrnig wedi iddo ladd, oni bai nad oedd o ddim wedi lladd neb. Ac fel yna, safodd, heb lwyddo i ddial, yn melltithio Theo a'r Yusulu.

Ni wyddai'r Cenhedloedd Unedig pwy oedd pwy. Pob un â beret glas ceidwaid yr heddwch, roedden nhw wedi cyrraedd o'r gogledd drwy Sudan ac ar hyn o bryd roedd patrol wedi'i wasgaru y tu ôl i dryc gwyn arfog ac yn symud o'r gogledd i'r de ar hyd y brif ffordd. Roedd y CU yn ceisio bod yn glustog rhwng y Kibu a'r Yusulu, ond ni allent ddweud y gwahaniaeth rhwng y naill ochr na'r llall; ddim yn deall gwahaniaethau hil – ac fe wisgai'r ddwy ochr yr un cuddliw caci, pan oedd hwnnw ar gael.

Roedd Kaninda yn llechu ychydig bellter o'r ffordd mewn pant naturiol, dim llawer o guddfan, ond petai o wedi rhedeg ar ôl gweld y CU, byddai hynny wedi'i wneud yn darged, heb os. Roedd ganddyn nhw eu AK47 ar eu cluniau, llygaid ym mhobman yn gweithio fel clustiau yn ogystal â llygaid gan fod y cerbydau'n gwneud clustiau'n 'fyddar' gan holl sŵn y moduron; ac felly hefyd unrhyw un cyfagos. Roedd deuddydd wedi mynd ers i Kaninda glywed Rhingyll Matu a'r platŵn yn cael eu saethu'n ulw ac yntau'n cael ei adael fel yr unig filwr Kibu byw yn Lasai, cyn belled ag y gwyddai.

Ond roedd gan rai o'r milwyr CU enw am fod yn gyflym i saethu a gofyn cwestiynau wedyn; swyddogion heb ddealltwriaeth o'u hiaith yn eu harwain. Rhyfel rhywun arall oedd hi iddyn nhw bob tro, felly beth oedd diben aros cyn saethu?

Efallai mai lladd diweddar y bobl y bu Kaninda'n ymladd gyda nhw oedd yn ei boeni, efallai mai'r bwyd nad oedd o wedi'i fwyta oedd yn ei boeni – nid oedd hyd yn oed wedi llwyddo i ddwyn darn o fwyd o bentref gwan ar ôl i hwnnw gael ei losgi gan yr Yusulu – ond roedd o mewn sioc, yn benysgafn, heb syniad beth roedd o am ei wneud na lle byddai'n mynd, yn gorwedd yn ei bant er mwyn i filwyr y CU basio; ac anghofiodd rybudd parhaol Rhingyll Matu: 'Mae milwyr ar y ffordd yn dangos yr hyn maen nhw eisiau i chi ei weld, yn unig... Y gweddill rydych chi'n chwilio amdano, deall?'

A rŵan, daeth un o'r lleill ar draws Kaninda. Roedd o wedi dod ato mor llechwraidd â phanther streipiog drwy'r tyfiant tenau o'i amgylch. A chan fod Kaninda'n gorwedd yn fflat ar ei fol i wylio'r patrol, nid oedd un ffordd o wybod a oedd gan hwn grenâd ai peidio.

Clywodd Kaninda sŵn cliced diogelwch a rholiodd yn gyflym i gipio coes y milwr. Twp! Dylai fod wedi rhoi ei ddwylo yn yr awyr. Roedd blaen gwn yn ei wyneb, ond *llygaid ofnus oedd yn edrych arno, ac yn datgelu beth oedd ar fin digwydd.*

'Paid â thanio, filwr!'

Ni thaniodd y dyn, mor syml â hynny, heb symud ei fys hyd yn oed filimetr at y glicied, heb amrantu wrth wylio Kaninda.

Rhedodd corporal o'r patrol CU atynt o'r ffordd.

'Cod ar dy draed, boi.' Rŵan roedd dau flaen gwn yn ei wynebu. 'Dalia nhw'n uchel!' Amneidiodd gwn awto-matig y dyn.

Safodd Kaninda, cododd ei ddwylo, a ffrisgiodd y corporal fo, hynny oedd angen ei wneud i fachgen tenau, llwglyd, carpiog.

'O ble wyt ti'n dod?'

Gwisgodd Kaninda ei wyneb 'fi-dim-siarad-Saesneg' a dangos ei fraich efo'r ôl bwled ynddo.

'Mae'r bachgen wedi'i saethu,' meddai'r corporal wrth y preifat, oedd yn dal heb amrantu, dim tra gallai Kaninda chwarae rhyw dric. Fe allai plant wneud pob math o bethau mewn rhyfel sifil fel hyn. 'Dos â fo'n ôl i'r Dodge, rho fo i'r Groes Goch.'

Y Dodge oedd tryc mawr agored a ddeuai i lawr y ffordd ychydig y tu ôl i'r patrol blaen, gyda hen ddynion a menywod yn neidio a siglo y tu mewn iddo, a grŵp o ferched lleiandy gyda blowsys wedi'u rhwygo, yn crynu, coesau gwaedlyd: pob un yn edrych yn pathetig; golwg ffoaduriaid caeth.

Aethpwyd â Kaninda i'r tryc a'i wthio i fyny o'r cefn. Eisteddodd ar ei union, yn edrych fel y gweddill, o dan

oruchwyliaeth gwarchodlu fyddai'n saethu petai unrhyw
un yn ceisio neidio dros yr ochr. Rŵan trawodd hyn ef:
fod y rhedeg a'r darn ymladd o'r rhyfel wedi dod i ben
iddo. Roedd wedi'i ddal, neu ei achub, pa bynnag ffordd
roedd eisiau meddwl am y peth, ac fe fyddai'n cael ei roi
mewn gwersyll diogel gyda'r gweddill, dioddefwyr truan
rhyfel, y rhai di-ymladd roedd o wedi eu casáu, i beidio â
bod yn rhan weithredol mwyach. Ond o leiaf roedd o'n
fyw. Y funud honno, roedd wedi cael ei achub tra'i fod o
ar fin cael ei ladd.

Yn ôl yn y tŷ, daeth ochor rebel newydd Laura allan
yn amlwg. Cyn hyn, roedd hynny wedi bod yn
gyfrinach, ond heno darganfu hi fod ganddi eiriau
grymus mor gryf ag unrhyw gerrynt.

'Lle mae'r bachgen wedi mynd eto? I ddod i
'nabod Llundain?'

Ni atebodd Laura. Ni fyddai o'n dysgu llawer am
Lundain o atlas y byd yr oedd wedi'i ddwyn oddi ar
ei silff. Roedd Capten Betty Rose yn gwthio'i breich-
iau i mewn i siaced ei lifrai oedd yn dangos lliwiau'r
Arglwydd ar gyfer ymarfer band Clychau Arian nos
Iau. 'Mae o'n galifantio'n waeth na Felix y gath.'

Roedd Laura'n dal yn ei dillad ysgol. Nid oedd
hi'n mynd i nunlle yn niogrwydd ei hiselder. Roedd
wedi'i llethu gan barablu ei mam am Kaninda rhwng
sbyrtiau moli Duw i hogi'i llais.

'*Henffych i enw Iesu gwiw. Syrthied o'i flaen angylion*
Duw...'

Wel, mae'r un yma wedi disgyn yn fflat ar ei hwyneb, meddyliodd Laura. Wedi syrthio, ond nid o flaen yr un angel; wedi'i gadael, diwerth...

'Tydi o'm yn dweud lot nac'di? Ddim yn dweud enw rhywun, ddim hyd yn oed yn dweud "Mrs". Dim "plîs" na "diolch" os wnaiff nòd neu rochiad y tro...'

Parhaodd Laura i ddweud dim.

'Maen nhw'n siarad Saesneg yn eu hysgolion nhw, dyna maen nhw'n siarad mewn busnes, tydi o ddim fel petai o ddim yn siarad dim o'n hiaith ni. Dwi'n gwybod, petawn i wedi cael fy mhlycio allan o'r gwersyll yna yn Lasai gan yr Arglwydd, fe fyddai gen i ryw air neu ddau o ddiolch...'

Cafodd Laura ei chario ar y cerrynt yn sydyn. 'Wel, tasech chi'n dweud llai, galle fo ddweud gair neu ddau!'

Rhewodd Capten Betty, ei gwregys yn dal yn rhydd. Rhoddodd y fath edrychiad i Laura y byddech chi'n meddwl y byddai hi'n ei gadw ar gyfer Satan. Dechreuodd dair brawddeg wahanol ond, yn amlwg, nid oedd ganddi syniad beth i'w ddweud. Nid oedd neb erioed – dim hyd yn oed ei gŵr Peter, dim un o aelodau Milwyr Duw, heb sôn am ei merch Laura – wedi rhoi ateb pigog fel'na iddi.

Brwydrodd trwy ei sioc. 'Wyt ti'n dweud 'mod i'n siarad gormod?'

Roedd Laura wrth y drws, yn barod i roi clep iddo a mynd allan; doedd hi ddim wedi dymuno hyn, ond dyna fo. 'Siarad gormod am Dduw wyt ti!' meddai. 'Taset ti'n siarad efo'r bachgen amdano fo'i hun, neu wrtha i amdana i, neu ag unrhyw un am fywyd *go iawn* hwyrach y baset ti'n ffeindio bod pobl yn siarad efo ti!'

'Dduw'r Nefoedd, clyw hyn!'

'Ti'n gweld be dwi'n ei feddwl?'

'Beth wyt ti'n ei ddweud, ferch?'

'Yn union beth ddwedais i!' A rŵan daeth y glep, ac allan.

'A lle wyt ti'n mynd?'

'Unrhyw le dwi isio!'

'Ond mae Clychau Arian!'

'Stwffio'r Clychau Arian. Cana nhw dy hun.' A rhedodd Laura trwy'r cyntedd ac allan o'r tŷ gyda chlep rymus arall. Roedd hi yn dal yn ei gwisg ysgol – blows wen, sgert ddu, sanau gwyn, esgidiau fflat du – a dim allwedd na chot na gobaith.

Yn crio rŵan, aeth drwy'r strydoedd at lle'r oedd hi'n gwybod y byddai hi'n canfod Kaninda, rhywle wrth yr afon lle'r oedd bob amser yn treulio amser. Oherwydd heno, roedd hi angen dod ar ei draws. Rŵan, roedd hi'n gwybod beth roedd yn rhaid iddi'i wneud.

Ac nid oedd o wedi'i siomi. Yn wahanol i Dduw a'i mam, mae'n debyg ei *fod o* yno pan oedd hi ei angen – y funud honno ar Lwybr Thames yn gwylio'r dadlwytho pedair awr ar hugain o long dywod.

Roedd crensian tywod o dan draed – ychydig ohono wedi gwasgaru dros y llwybr o'r cludfelt uwchlaw – troli siopa Asda yn pwyso yn erbyn y ffens, ac ym mwd y llanw isel, ambell un arall ar ei ochr.

Ond roedd Kaninda'n astudio'r llong dywod, er nad oedd o'n sefyll yno'n stond yn gwneud dim byd ond gwylio. Roedd o'n anadlu'n ddwfn ac roedd ganddo grafiad sych ar ei wyneb fel llinell ar lechen. Roedd y *parka* du brynodd mam Laura iddo yn llawn crafiadau a chrychau. Edrychai fel rhywun oedd newydd fod yn ymladd.

'Ti 'di bod yn cwffio?'

'Dwi wastad yn cwffio.'

'Efo pwy?'

Ni atebodd Kaninda; ond trodd i wynebu'r llong dywod.

'Ddim yn mynd i daflu dy hun o dan y tywod, wyt ti? Mygu?'

Dim ateb, o hyd.

'Achos os wyt ti, mi ddo i efo ti...'

Trodd Kaninda'n ôl eto; a gwnaeth rywbeth nad oedd o wedi'i wneud o'r blaen, nid i Laura, nid i unrhyw un arall. Dangosodd ddiddordeb yn rhywun. 'Dwed wrtha i.' Ond ni phwysodd yn ôl ar reilen glan yr afon, ac ni eisteddodd ar slab concrit yr hen gei; safodd yn unionsyth er mwyn iddi ddweud wrtho, fel petai o'n derbyn gwybodaeth filwrol.

Ac mewn chwa o ddagrau a beichio geiriau, dwedodd Laura wrtho, dwedodd bopeth. Dechreuodd gyda Theo a char ei frawd, esboniodd am Dolly Hedges, a diweddodd efo'r geiriau cas ddwedodd wrth ei mam yn y tŷ. Ac wrth iddi adrodd y stori, roedd hi'n gymysgedd o euogrwydd am y ferch fach a dicter tuag at Dduw am ei siomi.

Ni ofynnodd Kaninda gwestiynau: nid oedd cwestiynau i'w gofyn; dwedodd hi bopeth. Gallai fod yn offeiriad Catholig mewn cyffesgell; gallai fod yn ynad llys, daeth popeth allan.

Wedi gorffen, ochneidiodd. Ond rhoddodd ef law ar ei hysgwydd, yna daliodd y ddwy law oedd wedi'i achub rhag syrthio i lawr, lawr at ei farwolaeth. Edrychodd allan tuag at sugno'r llanw, lle'r oedd y mwd yn disgleirio yn llewyrch y machlud.

Gollyngodd Laura ei ddwylo, darganfod hances, sychu ei hwyneb. Roedd hi'n dawelach erbyn hyn, fel petai dwylo Kaninda wedi bod yn rhyw fath o ddwylo iachâd.

'Di'r llong 'ma ddim iws...' meddai. 'Ti'n gweld yr enw? "Tywod Caerdydd"? Mae tywod yn dod o Gymru, nid Affrica. Mae'r llong yma'n mynd i'r cyfeiriad anghywir.'

Ni wgodd Kaninda – deallodd yr hyn roedd hi'n ei ddweud. Darn ohono. Yn hytrach na gwgu, edrychodd Kaninda tuag at gei Tate & Lyle, a dilynodd llygaid Laura hefyd.

'Rydw i wedi penderfynu,' meddai hi wrtho.

Culhaodd ei lygaid.

'Pan ei di i ffwrdd ar dy long, ar ba bynnag lanw...'

Roedd ei wyneb wedi troi'n fasg eto.

'... dwi'n dod hefyd.'

Ac arhosodd y ddau yno'n llonydd, mor hir, fe allent fod wedi bod yn gerfluniau.

PENNOD TAIR AR DDEG

Arweiniodd Kaninda hi hyd at Ffordd Wilson, ei geg wedi'i chau'n dynn. *Y Laura hon yn dod gydag o?* Roedd ei fywyd wedi'i achub gan ferch, yn union fel y cafodd ei fywyd ei achub gan y corporal CU, fel yr oedd Rhingyll Matu wedi'i gadw'n fyw ganwaith – ac roedd o'n ddiolchgar, ond milwr oedd o, yn mynd yn ôl i ryfel; ni allai adael i rywun arall gymryd ei sylw. Roedd gan y ferch ei thrafferthion, ond fe fyddai hynny'n gwneud ei drafferthion ei hun ganwaith gwaeth petai hi'n ceisio dod gydag o i Lasai. Tra bod lle i un guddio yng nghrombil y llong, efallai nad oedd lle i ddau. Gwyddai sut i fod fel ysbryd, i fynd i mewn ac allan o lefydd am fwyd a diod heb gael ei ddal – fyddai hi byth yn gwybod y fath bethau. A phetai hi'n dianc o Loegr, oni fyddai pobl y lle yma'n dechrau chwilio amdani ledled y byd – tra na fyddai neb yn poeni un swllt Lasai am ei ddiflaniad o?

Ond roedd hi wedi gweld beth oedd ar ei feddwl – roedd hi'n *deall* ei gynlluniau Affrica gan ei fod o wedi bod yn ddigon twp i edrych dros yr afon at y llong siwgr – roedd hi mor siarp â Rhingyll Matu.

Dim ond cadw at guriad ei gamau o roedd hi'n ei wneud. 'Wyt ti'n barod am y Trydydd Rhyfel Byd pan ddaw Mam yn ôl o'r Clychau Arian?'

'Wastad.' Cerddodd yn ei flaen, yn gyflymach.

Byddai'n rhaid iddo redeg. Ac ni fyddai hi'n medru cadw wrth ei ochr pan oedd o'n cerdded i'r gogledd o'r llong. Ond am y tro, fe fyddai'n cadw ei geg wedi'i chau. Gallai geiriau llac fagu trafferth fel mosgitos aedes.

'Mi fydd hi eisiau gwybod pam 'mod i wedi bod yn gas wrth Dduw. Mi fydd y lle 'ma fel Dydd y Farn.'

Felly? Brysiodd. Dal i symud. Roedd gwneud rhywbeth yn fwy effeithiol na siarad. Petai ei fam o'n aros amdano adref – ac *nid* dyna oedd Capten Betty Rose – fe fyddai hi'n dod ato o le annisgwyl. Yn hytrach na dweud wrth ei dad am siarad â'r *bachgen yma* gyda chansen o'r goeden banana, fe fyddai hi'n crio a dweud ei bod hi'n fethiant fel mam iddo. Ond heno, fe fyddai Kaninda yn ei ystafell gyda'i atlas, yn mesur pellteroedd, yn cyn-llunio...

'Ti! Ken, ie? Dwi dyy isio di yn fan'ma!' Nid Theo oedd yn gweiddi, er ei fod o yno hefyd, ond y dyn Baz oedd yn clicio'i fysedd. Roedden nhw'n edrych fel cyfarfod o blant stryd Lasai yn rhannu sigaréts, chwech neu saith ohonyn nhw'n eistedd a phwyso ar y ddau ganon du wedi eu gosod fel cerfluniau yn y palmant. Roedd eu pennau i lawr, fel pe na bai'r un ohonyn nhw eisiau bod yn amlycach na'r nesaf wrth i bobl fynd heibio.

'Rhyfel y Ffederasiwn...'

'Ie!' poerodd un ohonyn nhw'n ffraeth o ganol y criw o fechgyn yn eu harddegau, du, gwyn, Asiaidd.

'... Dwi'n galw'r Criw.'

Roedd y boi Baz yma'n edrych fel dyn oedd yn mwynhau pobl yn ufuddhau iddo. Roedd y ffaith fod Theo yn eistedd yn dawel a pharchus yn dweud cyfrolau am ei bŵer. Syllodd Kaninda arno. Nid ei ryfel o oedd eu rhyfel nhw, er gwaethaf unrhyw seremoni derbyn roedd o wedi'i chyflawni i gael gafael ar N'gensi. Roedd o'n barod i gerdded adref.

'Ac rwyt ti'n un o'r Criw 'ma dwi'n ei alw, 'n dwyt ti?' Nid cwestiwn ond gorchymyn.

'O ydi, Baz, mae o i mewn. Mae'n o'n un poeth, y boi yma!' Ond nid oedd Theo ar ei draed. Roedd ei lais yn gwanhau. Syllodd ar Laura a oedd bellach i'w gweld yn dilyn y tu ôl i Kaninda. Syllu arni hi roedd o, hi efo Kaninda.

'Wel, dyna i ti newyddion da. Da iawn.' Daeth Baz atynt. 'Achos os 'di'r boi cŵl yma'n fy siomi nid fi fydd o'n ei adael i lawr ond y Criw i gyd – gan ei fod o'n aelod...'

Safodd Kaninda â golwg arno fel petai o wedi ymlacio'n llwyr; ond roedd o'n barod i ymladd; dwylo wrth ei ochr, yn sefyll draw rhag ymosodiad sydyn, ei bwysau'n drwm ar un goes fel bod y llall yn barod i roi swing anferth i'w gic os oedd rhaid. Hyd yn oed wedyn, ni ddwedodd air; nid oedd o am addo mwy na'r hyn roedd wedi'i wneud eisoes. Nid i unrhyw un.

Heblaw am y ferch oedd wedi achub ei fywyd.

'Achos dim jest fo fydde'n diodde, nage? Mynd am y berthynas agosa' mae rhywun yn ei wneud efo bradwyr...'

Roedd wyneb Baz yn agos i wyneb Kaninda rŵan, gan ei fod wedi dod yn ei flaen, a Kaninda heb gamu'n ôl. Ac fe wyddai Kaninda am deulu agos yn dioddef; onid fel yna roedd o wedi cael gwybodaeth gan garcharorion pentref oedd yn honni nad oeddyn nhw'n gwybod dim byd am filwyr Yusulu? Ond nid oedd ganddo deulu agos. Roedd ei deulu agos o'n farw ac wedi eu bwyta gan anifeiliaid, bellach.

'Na, Kaninda. Dim jest ti geith hi os wnei di ein gadael ni lawr. Mi awn ni am y ferch.'

Teimlodd wyneb Kaninda'n oer: oerni dirmyg. Mor oer ag oerni'r llais. *Y ferch?*

'Lor!' Roedd Theo ar ei draed – un llygad ar Laura ac un cam at Baz. 'Am be ti'n malu awyr, *man*?'

'"Malu awyr" am ennill y rhyfel 'ma. Does neb yn dod ar yr Ystâd 'ma ac yn cicio pen-ôl Jackson bach, oes 'na? Does neb yn dod lawr i'r Barrier ac yn cachu ar fy mhen i!'

'Yn llygad dy le, Baz!'

Poerodd sawl llond ceg o benderfyniad at y pafin.

'Felly, washi, gwna'n siŵr dy fod ti'n deall,' Roedd Baz wedi dod yn ôl at Kaninda. 'Ti 'mewn, neu bydd pethau'n troi'n hyll!'

Roedd Kaninda'n dal i syllu i fyw wyneb y boi. Gwelai pa mor glyfar oedd Baz wrth wneud hyn. Yn ogystal â gwybod ei bod hi wedi achub ei fywyd o drwy ei dynnu'n ôl i fyny i dir cadarn, roedd o hefyd yn gwybod mai merch Theo oedd Laura, felly roedd y bygythiad yn cael ei anelu ato fo hefyd.

Ac er bod Laura'n meddwl na fyddai hi yno beth bynnag, gan y byddai hi ar long siwgr cyn hir, fe wyddai Kaninda nad oedd hynny'n wir. Nid oedd hi'n dod gydag o, felly os nad oedd o'n ymddwyn fel aelod o'r tylwyth, gallai dial y Criw gael ei wir-eddu o hyd.

'Pa broblem?' meddai, gan godi ei ysgwyddau, fel Rhingyll Matu wrth y capten. 'Pa broblem, yn union?'

Roedd o i mewn.

'Reit.' Ond rhoddodd Baz Rosso stop ar unrhyw longyfarch i'r bachgen gan mai *fo* oedd dyn yr eiliad. 'Rhaid i ni gasglu'r gweddill ynghyd – ti–' pwyntiodd at Theo – 'dos o gwmpas yn cynhyrfu'r dyfroedd yn 'rysgol fory, dwi isio i bawb gael 'u galw, iawn?'

'Siŵr iawn, *man*.'

'Ac fe awn ni rownd y fflatiau yn curo ar ddrws unrhyw un sydd erioed wedi bod yn aelod o'r Criw.'

Mwy o gytuno. Mwy o boeri, sigaréts yn cael eu pasio o un i'r llall ymysg y trŵps

'Yr unig beth ydi... pryd?'

'Mae gen i drênin' ffwtbol dy' Gwener...'

'Stwffiwch o! 'Da ni'n mynd pan 'da ni'n mynd – iawn?!'

'Na.' Os oedd yn rhaid i Kaninda fod i mewn, roedd yn rhaid iddo fod i mewn yn iawn. 'Lle, yn gyntaf.'

'Lle?' gofynnodd Baz i'r lleill. Roedd hyn mor dwp. 'I lawr yn fan'cw siŵr iawn. Lle ti'n meddwl? Eu strydoedd nhw. Lle byddan nhw'n diodde' o flaen 'u pobl 'u hunain. Dangos: does neb yn malu awyr fo'r Criw.'

Ond roedd Kaninda'n ysgwyd ei ben. 'Dim fan'na. Maen nhw'n nabod y lle. Eu lle nhw ydi o, efo'u llefydd cuddio nhw, ambwsh gore...'

'Wel dwi'n 'nabod lawr fan'na hefyd tydw!? Dim ond ochor arall i'r dre ydio...'

Rŵan roedd Theo ar ei draed. 'Neu yn fan'ma, felly, *man* – y? 'Dyn ni'n nabod ein patsh ni'n hun-ain, tyden? Allwn ni eu curo nhw i lawr yn Barrier ni, ac ar hyd y Mississippi. Pos-i-tif!'

Roedd Kaninda wedi edrych i ffwrdd, i feddwl. 'Trwy'r dre.' Aeth ar ei gwrcwd, fel Rhingyll Matu yn defnyddio ffon i wneud diagram yn y baw. Aeth eraill ar eu cwrcwd efo fo, ond Baz. 'Cychwyn yma, jest lle maen nhw'n byw, efo *dim ond rhai* dynion. Esgus, rhedeg i ffwrdd yn ôl trwy'r dre, ac maen nhw'n dilyn. Y lleill—' chwifiodd ei law at y Criw – 'ambwsh!'

Meddyliodd pawb am y peth. 'Yn y dre?'

'Be' am yr holl bobl?'

Cytunodd Kaninda. 'Gwell fyth. Mae pobl yn helpu. Mae rebeliaid o hyd yn ymladd yn y farchnad.' Ceisiodd ddarganfod y gair. *Machafuko.*

'Dryswch!' cynigodd Theo.

Lledaenodd llygaid Kaninda. 'Dryswch sy'n ennill!'

'Mi wela i hynna,' meddai Baz. 'Rhannu a Rheoli.'

Nid oedd hynny'r un peth o gwbl, ond er mwyn Laura, roedd Kaninda wedi dangos iddyn nhw ei fod o'n aelod dilys o'r Criw; profi ei werth fel milwr go iawn. Gwyddai: mewn marchnad yn Lasai, roedd plant, hen bobl, bagiau, certiau, beiciau trymlwythog, ofn a syndod – roedd pob un yn gymorth i'r ymosodwr, y milwr cudd oedd yn llechu ger y siopau, o dan stondinau, tu ôl i'r nwyddau. Ac mae dianc yn haws, wedyn.

'Ie, dyna wnawn ni,' meddai Baz Rosso. 'Felly, dyna sortio'r "pryd" hefyd, 'lly?'

Edrychodd bawb arno. 'Sut hynny, *man*?'

'Dydd Sadwrn. Anghofiwch snwcer. Dydd Sadwrn amdani, pan fydd pawb yn y dre, yntê?'

Ac ar hynny, tynhaodd dyrnau'r Criw, lledaen-odd pob gwên, rasiodd calonnau, berwodd poer. A chipiodd Baz Rosso wregys Kaninda a'i dynnu fel bod y bwcl i'r ochr dde.

'Dydd Sadwrn, modlen fach. Dydd Sadwrn fydd yr awr fawr!'

Roedd Queen Max wedi clywed fod pobl yn chwarae hoff gerddoriaeth pobl mewn coma, ac yn cael sêr pop neu bêl-droed i ddod i ymweld; wel, i Dolly fach, roedd Queen Max yno, a newyddion am y rhyfel dial. Roedd hi yn Ward Jenner. Roedden nhw wedi symud Dolly fach allan o'r adran gofal dwys, gan fod dim byd i'w wneud ond aros, a siarad â hi. Roedd hi'n hofran rhwng ymwybydd-iaeth, ond roedd pethau'n argoeli'n well – er nad oedd hi'n dweud mwy. Nid oedd ganddi esgyrn wedi'u torri. Trawiad anunion roedd hi wedi'i dderbyn, anaf drwy'r crac i'r pen ar y palmant yn unig. Felly roedd llawer iawn o siarad – siarad gyda hi, bywiogi'r ymennydd.

'Sut mae hi?' gofynnodd Queen Max wrth y gyn-orthwywraig.

'Mynd a dod mae hi, cariad; ond dod gymaint ag y mae hi'n mynd. Mae hi'n dal i ddweud "gwyn" drosodd a throsodd. Dwi'n canu pob lliw yn y blydi enfys iddi er mwyn trio newid y record, ond "gwyn" mae hi'n dal i'w ddweud.'

Gwyrodd Queen Max tuag ati ac at y bys bach yn gorwedd ar glustog plastig, prin yn gwneud tolc ynddo. 'Fe gawn ni nhw ddydd Sadwrn, cariad, a'u peintio nhw'n goch fel y sothach car 'na. Mi fydd adran Damwain ac Argyfwng yr ysbyty'n gorlifo efo Criw Barrier erbyn nos Sadwrn!'

Ac fe aeth hi, gan ddwyn Mars bach o gownter y nyrs wrth basio; mynd ar frys, wedi hen fynd erbyn i Dolly fach ddod ati 'i hun eto felly chlywodd hi ddim mohoni'n chwyrnu anadlu'n ddwfn a brathu, 'Gwyn!'

*

Nid oedd Kaninda wedi profi oerni o'r blaen. Gan fod ei gartref yn Katonga ar dir uchel, nid oedd y tywydd yn rhy boeth nac yn rhy oer, nos a dydd yr un peth, drwy'r flwyddyn. Roedd siacedi yn cael eu gwisgo ar gyfer busnes, nid ar gyfer cadw'n gynnes. Nid oedd tân yn y tŷ, na lle i dân, heblaw am yr un i goginio.

Ond fe wyddai am oerfel yn Llundain – y tu allan pan fyddai'r haul wedi machlud a heno y tu mewn pan oedd Mrs Capten Berry Rose yn ymddwyn fel rhewgell. Roedd o'n deall pam, felly nid oedd wedi synnu teimlo'r oerfel, ond roedd Is-gapten Peter yn sicr wedi'i synnu gan ei fod wedi dyfeisio rhyw ddyletswydd i Dduw a'i heglu hi i drwsio drws yn y pencadlys.

Roedd ymarfer Clychau Arian wedi gorffen – heb ddrwm bas Laura – ond nid oedd ei mam wedi tynnu ei hiwnifform fel y byddai hi'n arfer ei wneud, ar ôl cyrraedd y tŷ. Roedd hi'n dal yn ei gwisg, o'i chorun i'w sawdl, fel petai hi'n gwneud sioe o bresenoldeb Milwyr Duw tan amser gwely; yn cnoi ar y geiriau doedd hi ddim yn eu dweud tra bod Laura'n mynd â Kaninda i mewn i'r lolfa ac yn troi'r teledu ymlaen. Ond o leiaf, nid oedd Dydd y Farn wedi dod.

'Neith hyn ddysgu rhywbeth i ti am Lundain,' meddai Laura. '"London Bridge", rhaglen dda.' Roedd hi'n siarad yn yr un ffordd ag y byddai mam Kaninda pan oedd hi'n cynllunio rhyw fath o drît pen-blwydd; fyddai hi ddim wedi twyllo neb. Caeodd y drws a dechreuodd siarad ar frys, ar draws sŵn y teledu.

'Welaist ti'r trolîau yna wrth y llong dywod? Yn y mwd ac ar y llwybr?'

Roedd o wedi eu gweld.

'Maen nhw yno ar ôl i ddynion y llong wthio eu cwrw a bwyd i lawr o'r siop – wedyn does ganddyn nhw ddim awydd mynd â'r trolîau yn ôl...'

Edrychodd Kaninda ar y trais ar y teledu: heddlu yn arestio rhywun ar ystâd tebyg i un y Criw, wedi'i actio ar gyfer y camerâu. Cododd ei ysgwyddau wrth Laura. Ie – a?

'Rhywbeth i'w cynnal nhw. Mi fyddwn *ni* angen bwyd, y math o beth mae siopau *ex-army* yn eu gwerthu. A dŵr.'

Trodd Kaninda, a'i lygaid mor gul â chrafiadau mewn eboni. Ei gynllun o oedd byw trwy'r pedair awr ar hugain gyntaf ar ffrwythau wedi eu dwyn ac ychydig o fara, ac wedyn cychwyn dwyn oddi ar griw'r llong. Ac fe fyddai digon o siwgr...

Roedd Laura'n sibrwd yn ei blaen. 'Y llefydd yna sy'n gwerthu iwnifformau ac esgidiau hoelion a phebyll cuddliw: maen nhw'n gwerthu dognau argyfwng bwyd, a thabledi dŵr. Mi â i nôl peth 'fory...'

Ni ddwedodd Kaninda air. Nid oedd wedi gweld y fath siopau, ond roedd y rebeliaid wedi dwyn dognau argyfwng cyn-fyddin yr Unol Daleithiau pan gipwyd Batama Fort. Bwyd wedi sychu, angen dŵr ar ei ben, ond roedd Kaninda wedi bwyta siocled heb ei wlychu a chwydu. Dim ond Rhingyll Matu oedd fel petai'n ffynnu ar y stwff.

'Ac mi fydd yn rhaid i ni gael bagiau plastig ar gyfer... pan fyddwn ni'n gorfod g'neud ein busnes...'

Agorodd llygaid Kaninda ychydig. Roedd hi wedi meddwl yn ofalus am hyn. Roedd o wedi adnabod cêl-saethwyr a gafodd eu darganfod oherwydd eu hangen i wneud eu busnes.

'A moddion pesychu...'

Roedd hi'n gwneud argraff arno. Gallai peswch ddatgelu eu bod yn cuddio yno.

'Mae ffisig pesychu'n dy wneud di'n gysglyd. Fe lowciodd pobl yn dianc o Vietnam boteli o'r stwff er mwyn cysgu drwy'r daith hir. Y math efo sedatif ynddo fo...'

'Dwi'n cadw'n effro!'

'... Ac yng ngwaelod y poteli, roedden nhw wedi cuddio modrwyon a gemau, i freibio morwyr. Ti'n meddwl—?' Edrychodd Laura at y nenfwd, tua'r ystafell wely lle'r oedd gan ei mam fodrwyon.

'Dim gemau.' Roedd Kaninda'n dod o ardal â'i lond o byllau diemwnt. 'Os oes gen ti emau, ti'n cael dy ladd, dy daflu i'r môr. Pam lai? Dy ddiamwntiau *di*, fy neiamwntiau *i*.'

Cytunodd Laura, derbyn hynny fel partner a newid ei chynllun.

'Pam oeddet ti wrth y llong dywod heno?'

'Edrych...' meddai.

'Am rywle i guddio? Dwi 'di meddwl am hynny. Mi fydden ni'n cael ein mygu gan siwgr crai, ond os ydi o'n cael ei gludo'n ôl mewn pecynnau, wedi'u bwndelu, mi fydd yna ddigon o le mewn corneli bychain. Os na: bydd yn rhaid i ni fynd i lawr lle mae'r criw yn byw, rhwng asennau'r cilbren i lawr yna, lle maen nhw'n cadw stwff tydyn nhw ddim ei angen rhyw lawer.'

'I ffeindio lle.'

Pwysodd Laura ei dwy benelin ar ei phengliniau, gwylio'r teledu heb ei weld; ac o'r diwedd edrychodd draw at Kaninda.

'Faint o'r gloch 'dan ni'n mynd?

'Yn y tywyllwch.'

'Rydyn ni'n rhwyfo i'r llong...?'

Dim ateb.

'... dringo'r rhaff...?

Roedd o'n syllu trwy ddwy hollt eto. Un person yn dringo rhaff ac yn llithro i'r dec – un milwr wedi'i hyfforddi – rhoedd hynny'n ocê, o fewn trwch blewyn. Ond dau, pan oedd un ohonyn nhw'n Laura, na wyddai ddim byd am sut i fod yn ysbryd... 'Rydyn ni'n cuddio,' meddai. 'Ar y top. Yna...' crafodd ei fysedd ar hyd braich y gadair. 'Wedyn i mewn, fel llygod mawr.'

'Ie, llygod mawr.'

Nid oedd Kaninda'n gyfforddus. Y lleiaf roedd rhywun yn sôn am gynlluniau, y gorau oedd yr ymgyrch. Cododd o'i gadair ond gorfododd hi iddo aros lle'r oedd o, â llaw ar ei fraich.

'Ydi llygod mawr yn mynd i'r Nefoedd?' gofynnodd. 'Ti'n meddwl?'

Nid oedd o'n gwybod. *Hi* oedd y ferch o'r tŷ Beibl. Un peth roedd o'n ei obeithio – nad oedd Yusulu'n mynd yno. Ni allai ddygymod â'r syniad o'r gelyn marw yn yr un lle â'i dad a'i fam a Gifty fach.

*

P'un ai oedd yr Yusulu'n mynd i'r Nefoedd ai peidio, cyn iddo fynd i ffwrdd ar y llong, roedd Kaninda am anfon N'gensi i *rywle* yn y byd arall. Roedd yn rhaid iddo gadw hynny fel amcan, er gwaethaf beth ddywedodd y bachgen ar lan yr afon. Ond yn yr ysgol, roedd y bachgen yn cael ei warchod yn fwy gwyliadwrus na phennaeth pwll Katonga ar ôl tan-chwa Deep Road Nine. Hefyd, ni fyddai Kaninda'n medru ei dwyllo a'i arwain at yr afon eto. Felly gwyddai y byddai'r lladd yn gorfod digwydd yn ddi-arf gydag un o ymosodiadau *dojo* Rhingyll Matu, neu gyda chyllell o gegin Mrs Capten Betty Rose. Ond fe fyddai'n digwydd – er, nid yn rhy fuan, gan mai fo fyddai'r cyntaf i gael ei ddrwg-dybio. Roedd yn rhaid iddo ymosod ddydd Sadwrn, y munud olaf cyn gadael. Byddai'n darganfod lle roedd N'gensi'n byw – nid nepell o'r ysgol mae'n rhaid – mynd yno, a'i dwyllo i ddod at y drws. Yna...

I filwr fel Kaninda, roedd darganfod lle'r oedd Faustin yn byw yn hawdd. Mater o'i ddilyn ar ôl i'r ysgol orffen am y diwrnod. Roedd y pwdryn N'gensi yn cael ei arwain adref gan athro, neu dri neu bedwar disgybl. Drwy'r dydd, roedd Kaninda'n disgwyl cael ei holi am ei ymosodiad diwethaf ar N'gensi, ond ni ddaeth cwestiynau; roedd y bach-gen wedi cadw ei geg ar gau, o falchder Yusulu fwy na thebyg. Ond nid oedd o'n rhy falch i gael ei arwain adref fel pennaeth.

Dydd Gwener oedd hi. Roedd Theo'n cerdded o gwmpas yn ystod amser egwyl yn siarad â bechgyn, yn ufuddhau i orchmynion Baz Rosso. Roedd Charlie Ty yn cerdded o gwmpas gan swagro, a'r gair a glywid ar yr iard ac yn y coridorau oedd *rhyfel*. Roedd yr awyrgylch fel y bu yn Ysgol Uwchradd Katonga y bore ar ôl y gladdfa. Gwyddai'r athrawon fod rhywbeth ar droed ac, yn y dosbarth, roedd llygaid Miss Mascall ym mhobman. Er hynny, ni allai hi atal Kaninda rhag mynd i'r toiled cyn diwedd y prynhawn – ac ni ddaeth yn ôl. Cerddodd allan drwy giatiau'r ysgol ac aros ar ochr arall y ffordd yn y gofod rhwng dau adeilad swyddfa.

Pan ddaeth y gweddill allan, roedd N'gensi gyda thri bachgen hŷn ac un ferch. A oedden nhw'n gwybod fod Kaninda wedi diflannu? Efallai, oherwydd roedd eu llygaid nhw'n gwibio o gwmpas y lle fel gwarchodlu y tu allan i siopau Dinas Lasai. Roedden nhw'n arbennig o ofalus ar y cychwyn – ond dilynodd Kaninda yn hawdd; ac ar ôl y stryd-oedd cyntaf, ymlaciodd llygaid y rhai oedd yn hebrwng a pheidio ag edrych am ymosodiad o bob cyfeiriad; dim ond cerdded o boptu i N'gensi a siarad am eu pethau eu hunain.

Aeth Kaninda'n agos, agos – i hogi'i sgiliau. Tric dilyn rhywun oedd gwneud yn siŵr fod rhywun arall rhyngoch chi a nhw, ac roedd digon o blant yn mynd adref. Wrth iddyn nhw adael y brif ffordd a cherdded i stryd ochr, roedd ceir wedi eu parcio yn rhoi lloches iddo – trwyn wrth gynffon fel gwrych fetel. Fel y dyfalodd Kaninda, nid oedd cartref N'gensi ymhell iawn; nid oedd plant yn dod i'r ysgol o bellter byd. Ac o fewn pum munud, roedd wedi'i hebrwng drwy ei ddrws ffrynt, a'i adael.

Syllodd Kaninda mewn syndod ar y lle.

Bwyty stryd oedd yno, lle'n llawn ffenestri stêm, byrddau a chadeiriau bychain; ac wedi peintio ar y gwydr roedd: *Ystafelloedd Te 'Iachawdwriaeth Iesu' – pob ceiniog o'r elw i'r Arglwydd*, ac o dan hynny mewn llythrennau llai roedd yr oriau agor – *8 tan 8*.

Rhwbiodd Kaninda'r hen anaf bwled yn ei fraich; roedd wedi dechrau cosi. Roedd hyn yn well nag oedd wedi'i ddychmygu! Petai'n dod cyn wyth o'r gloch yfory, fe allai fynd i mewn a gofyn am N'gensi; ni fyddai'n rhaid cnocio'r drws ac aros y tu allan. Fe fyddai wedi cyrraedd hanner ffordd at y gelyn, y tu mewn i'w dŷ, cyn iddo sylwi; ac wedi'i heglu hi at yr afon cyn i gorff yr Yusulu daro'r llawr.

Trodd i ffwrdd, yn ofalus i beidio â chael ei weld.

... Yna, ar ei ben ei hun, byddai'n mynd at y llong siwgr. Yn amlwg, ar ei ben ei hun; ni allai gael ei arafu na'i amlygu gan y ferch: ac ni wyddai ddim am yr hyn ddigwyddai i ferched yn y gwersylloedd.

Ond yn gyntaf, fe fyddai'n talu ei ddyled iddi drwy chwarae ei ran yn rhyfel llwythol Llundain.

PENNOD PEDAIR AR DDEG

Wrth iddi orwedd mewn dŵr claear, syllodd Laura ar fowlen wydr golau'r bathrwm, yn glir eto, y stêm wedi mynd. Dyma un lle, lle'r oedd heddwch i'w gael yn y tŷ, lle'r oedd hi'n cael caniatâd i gloi'r drws – felly bore Sadwrn ai peidio, arhosodd yno nes bod ei bysedd yn rhychau. Gyda'i gên ar ei brest, gorweddodd ac edrychodd arni'i hunan. Roedd ganddi ffigwr dynes ond teimlai fel merch dwp. Nid oedd hi'n tarfu dim ar y dŵr ond, y tu mewn, roedd hi'n corddi o gynnwrf rhwystredigaeth. Nid yr hyn oedd i'w weld ar yr wyneb oedd i'w gael go iawn mewn bywyd. Nid oedd hi wedi *bwriadu* gwneud rhywbeth drwg – dim ond bod yn rebel bach efo Theo – ond roedd hynny wedi gwneud pechadures waeth ohoni, ac ni fyddai byth yn mynd i'r Nef-oedd. Dywedodd ei mam. Unrhyw un oedd wedi gwneud y math yna o beth: dim gobaith.

Ie, a? Llithrodd Laura i fyny ac i lawr yn y bath a chreu ton. Roedd Duw wedi'i siomi'n ddifrifol, *yn ddifrifol*; roedd Ef wedi dangos iddi na fyddai Ef yn dymuno ei chael yn ei Nefoedd beth bynnag. Felly, rŵan, ar ei phen ei hun, roedd hi'n cario euogrwydd mor drwm nes ei fod yn mynd i'w chludo'n ddigon pell o'r lle yma.

Ac yn ddigon pell o hyn i gyd, meddyliodd. Yma, roedd ganddi dân a golau a thyweli sych, i lawr y grisiau roedd oergell a'r holl bethau trydanol eraill, ac roedd gwres canolog drwy'r tŷ. Roedd ei mam yn dweud o hyd eu bod yn byw mewn cryn foethusrwydd gan eu bod nhw'n byw mewn man lle'r oedd dŵr tap. Ac am beth roedd hi'n cyfnewid hyn? Siŵrnai hir gyda rhywun doedd hi prin yn ei adnabod, i ymladd yn rhyfel rhyw wlad arall: cysgu o dan y sêr, golchi mewn pyllau dŵr, bwyta bwyd na allai ei dychymyg hyd yn oed mo'i flasu. Byddai'n byw ar eu hochr nhw, gyda milwyr treisgar – neu efallai y cai hi'i chipio, heb os nac oni bai ei threisio, ei lladd mewn ffordd ddychrynllyd o arteithiol, ac Aids. Neu efallai na chai hi ond ei brathu gan fosgito yn y funud gyntaf wedi cyrraedd yno ac yna marw o'r malaria: roedd ei mam wedi cymryd pob math o dabledi cyn mynd.

Am hynny i gyd y byddai hi'n cyfnewid hyn – a phopeth oherwydd anobaith am yr hyn roedd hi wedi'i wneud ac oherwydd fod agwedd fel hwrdd gan ei mam. A'r darn olaf yna oedd y gwaethaf; dyna oedd yn selio'r ddêl, gwaeth na'r holl stwff am Dduw, hyd yn oed: oherwydd roedd ei mam wedi arfer bod â chalon fwy na hynny. Cyn iddi gael ei hordeinio, roedd hi'n wahanol. Ocê, roedd hi'n Gristnogol, ond nid yn ffanatig. Roedd hi'n llawn hwyl, yn agos at rywun. Yn ei dychymyg, gwelodd Laura lun o'i mam yn chwarae pêl-droed yn y parc fel gwnaeth hi un tro, gyda hi a rhyw fechgyn. Roedd y bêl wedi mynd tuag ati a chipiodd hithau ei sbectol o'i thrwyn a rhoi peniad da i'r bêl i mewn i'r gôl. Roedd y plant wedi mynd yn wallgof, a rhedodd hithau i fyny ac i lawr ochr y cae yn gweiddi, 'Yoop! Yoop! Yoop!' a chwifio'i breichiau. Ac adref wedyn, roedd hi wedi eistedd gyda Laura ar y soffa ac adrodd hanes ei bywyd yn Fictoria, Mahé, ei chartref yn y Seychelles: adrodd am Tante Los a Money George a mynd o ynys i ynys: barbeciwio ar y traeth a chrancod tir yn clecian trwy'r nos. Atgofion melys oedd yn gwneud uffern heddiw'n waeth fyth...

Llithrodd Luara ymhellach i mewn i'r dŵr, gwthiodd ei phen yn ôl nes ei bod hi o dan y dŵr yn gyfan gwbl. Allech chi foddi'n bwrpasol? Petai hi'n agor ei cheg yn llydan a gorfodi'i chorff i beidio â chodi, allai hi orffen popeth lle'r oedd hi?

Ac yna, fe fyddai'n *siŵr* o beidio ag ennill lle yn nheyrnas Nefoedd byth! Daeth allan o'r dŵr gan boeri, anadlu'n siarp ac eistedd yn syth. Aros eiliad! *Ennill lle yn nheyrnas Nefoedd?* Ai dyna'r unig ffordd o ennill cymeradwyaeth Duw a'i mam? Roedd yn rhaid iddi ddianc rŵan, roedd hi wedi penderfynu hynny, ond beth petai hi'n mynd i Lasai gyda Kaninda a pheidio ag aros gydag o'n hir – ond mynd ar ei liwt ei hun a darganfod gwersyll ffoaduriaid i weithio ynddo, gwneud pethau da, dod yn rhywun fel Florence Nightingale Affrica? Fyddai hynny'n gwneud iawn am yr hyn wnaeth hi? *Gwaith da yn y maes, yn union fel roedd ei mam wedi'i wneud allan yna?* Petai hi'n ennill rhywbeth fel yna, allai hi ddim gwneud i'r Hollalluog weld pethau'n wahanol a rhoi ychydig o obaith iddi? Ar ôl blwyddyn o aberth a pherygl, allai hi ddim dod yn ôl i Brydain fel rhywun newydd, allai hi ddim dod yn ôl wedi'i hail-eni?

Sblash! Ie! Dyna ffordd well o weld pethau: mwy gobeithiol. Gan fod hynny'n rhoi rhywbeth iddi anelu tuag ago, rhywbeth pos-i-tif, nid rhedeg o gartre'n unig, ond mynd i ffwrdd gyda chynllun pendant: talu am ei throsedd drwy fywyd caletach nag y byddai carchar troseddwyr ifanc byth yn ei wneud.

'Wyt ti wedi mynd i lawr y plwg i mewn yn fan'na?'

'Naddo.'

'Felly, wyt ti'n dod allan efo'r Clychau Arian i ganol y dre?'

'Dim heddiw.'

Daeth curo mân a buan ar y drws. 'Wel, nid dyna'r ffordd i olchi ymaith dy bechodau! Ysbryd *glân* mae'r Arglwydd ei eisiau, nid rhyw gablwraig o ferch yn ei harddegau y tu ôl i ddrws wedi'i gloi.'

Clywodd Laura ei mam yn stompian i lawr y grisiau. Roedd hi wedi dweud y gair *arddegau* fel pe bai hynny'n bechod mwyaf y ddaear. A dyna'n union oedd hi. Na, nid oedd ateb arall; roedd hi'n mynd i orfod mynd gyda Kaninda heno a gwneud i'w chynllun newydd weithio: a golygai hynny fod yn rhaid iddi wneud i'w gynllun o weithio hefyd.

Roedd Kaninda wedi llungopïo'r map yna o atlas Laura i'w ymennydd fel Rank Xerox. Pe bai'r llong yn mynd i mewn i borthladd Maputo, gallai enwi'r trefi y byddai'n eu pasio ar y ffordd i'r gogledd, o'i gof: Manhica, Macia, Chókue, Mabalane, Mapai – yna dros y ffin, i fyny drwy Zimbabwe. Ond os oedd y llinell denau yna a welodd ar y map yn golygu rheilffordd, gallai guddio mewn tryc clud-iant a theithio tua'r gogledd ynghynt, ac yn haws o lawer. Roedd wedi cynorthwyo i ddifrodi un o drenau'r llywodraeth ger Sombamba, pan nad oedd ffrwydradau ar ôl gan Rhingyll Matu, pan wahan-odd y dynion y tryciau cefn oddi wrth weddill y trên a gadael iddynt fynd oddi ar y cledrau ar waelod y llethr; felly roedd yn deall pa mor araf roedd trên trwm yn mynd i fyny'r allt, pa mor hawdd oedd neidio arno. 'Reit, reit, reit, 'dych chi'n fy neall i?' Gallai glywed y geiriau'n cael eu dweud hyd heddiw.

Roedd clep uchel o'r drws i lawr y grisiau yn golygu fod Mrs Capten Betty Rose ac Is-gapten Peter wedi mynd. Clychau Arian. Ar ôl iddo fwyta'i frecwast, roedd y ddynes wedi dweud fod croeso iddo yntau fynd hefyd. 'Na, dwi'n darllen,' dywedodd. Ac roedd hi wedi rhoi rhyw straeon Duw hawdd iddo. Ond darllen y map wnaeth o.

Rŵan, roedd tawelwch yn y tŷ; tan i ddrws glicio ar ben y grisiau, yn y stafell ymolchi. Roedd o'n adnabod y sŵn. Rhyw dro, fe fyddai'n rhaid iddo fynd i lawr i'r gegin i ddewis ei gyllell ar gyfer y nos, ond ni fyddai'n symud eto. Roedd wedi dysgu gan Rhingyll Matu: mewn pentrefi bychain ac yn slei yr oedd dwyn yr hyn roeddech chi ei angen, a hynny ar yr eiliad olaf cyn bod ei angen; petaech chi'n cael eich dal, roeddech chi'n dal yn ddieuog, am y tro.

Gobeithiai nad oedd Laura wedi ffraeo â'i mam – oherwydd rŵan roedd Mrs Capten Betty Rose yn ei gwylio hi trwy gydol yr amser, yn amheus ohoni. Roedd o eisiau awyrgylch *arferol* yn y tŷ, oherwydd os oedd llygaid siarp yn chwilio am un peth, roedd perygl iddyn nhw ddod ar draws popeth: pan oedd y patrol yn caethiwo grŵp o filwyr Yusulu, yn aml iawn, nid y rhai hynny roedd y patrol allan yn chwilio amdanynt fyddai'n cael eu dal. A gobeithiai fod Laura wedi mynd gyda'i rhieni yn hytrach na'i bod hi yno, yn aros i gynllwynio gydag o.

Ar ôl clec y drws, teimlai fel petai'n aros i ddyfais amseru ganu. Pymtheg, pedair ar ddeg, tair ar ddeg, deuddeg, un ar ddeg...

'Kaninda!'

Roedd hi tu allan i'w ystafell. Aeth at y drws a'i agor, nid yn llydan fel y byddai'n gwneud i bartner nac yn gul er mwyn peri amheuaeth. Roedd hi'n droednoeth, â'i gwallt yn wlyb, yn gwisgo gŵn godi. Roedd hi wedi dod yno ar ei hunion.

'Y rhyfel hwn...'

'Pa un?'

'Y Criw. Does ddim rhaid i ti gael dy hun yn styc yn ei ganol. Paid ag anghofio. Fydda i ddim yma i Baz Rosso gael dial. Fyddi di ddim chwaith. Mi fyddwn ni ar y llong yna...'

'Dwi'n mynd, o hyd.'

'Ond mae'n digwydd yn y dre. Maen *nhw* yn y dre!'

'Dyna'r cynllun—'

'Felly, Mam a Dad – yn chwarae efo'r Clychau Arian.'

Syllodd Kaninda arni, drwyddi. Cododd ei ysgwyddau. Roedd eisiau cau'r drws ond nid oedd am i'r ferch gael gwybod am ei dwyll. 'Ond dwyt *ti* ddim yn mynd yno,' meddai wrthi.

'Rhaid i mi; y dognau argyfwng...'

'Dim dognau argyfwng. Mae bwyd yn ocê.'

'Ond paid â chael dy frifo na dy ddal; allwn ni ddim colli'r llong 'na.' Edrychodd arno, ei phen i un ochr.

Edrychodd yn ôl arni hithau. Roedd hi'n bowdr i gyd ar ôl y bath, ag oglau hufennog. Nid oedd ei llygaid yn goch heddiw ond yn glir ac yn fawr. Roedd ei thraed noeth o dan dywel y gŵn yn edrych yn fach, yn ddiamddiffyn. Ar ei ben ei hun yn y tŷ gyda hi, dim ond am ychydig, roedd eisiau dad-lapio'r gŵn a gosod ei hunan y tu mewn iddo, er mwyn teimlo, er mwyn cysur. Petai hi wedi dangos blaen ei thafod iddo eto, fe fyddai wedi gwneud hynny.

Ond cadw at ddyletswydd roedd milwyr yn ei wneud, neu marw o fod yn feddal.

'Dwi'n mynd at y Criw.' Roedd yn rhaid iddo wylio; edrychodd i gyfeiriad y cloc ar y bwrdd.

'Ddwedais i fod dim rhaid i ti.'

Ysgydwodd ei ben.

'Cymer ofal, 'lly, milwr bach. Ti 'di 'nhocyn i i le gwell.'

Ac nid oedd Kaninda am ddadlau â hynny. Beth bynnag, y peth gorau iddo wneud rŵan oedd cau'r drws.

'Ni'n cario?' gofynnodd Snuff.

Edrychodd Queen Max arno. 'Be di pwrpas bod yn berchen ar arf os wyt ti ddim yn ei gario fo?'

Roedd gwn Snuff yn binc, un Charlie Ty'n ddu, ac roedden nhw'n wynebu sgrîn *Time Crisis III* ac yn saethu at y gelyn wrth i'r eiliadau rasio heibio.

Roedd y Ffed yn edrych yn brysur, drwy ddefn-yddio pob arf oedd ar gael yn y Mega Arcade; ond roedd y busnes go iawn yn cael ei wneud yn sesiwn brîffio'r gang. Tra bo'r cynorthwy-ydd arian wedi troi ei gefn ac yn gweld dim – wedi'i hudo gan Queen Max – roedd hi'n mynd o gwmpas yn dosbarthu caniau chwistrellwr gwallt Kwik Sprey.

'Be di hwn?' Roedd John yn eiddgar eisiau gwybod.

'Pasia fo o gwmpas. Llwch gwallt ydi o, mewn gwahanol liwiau.'

'I be?'

'Ryden ni i gyd yn bennau coch, glas neu wyrdd, wedyn, y donc! Tan i ti frwsio fo'i gyd allan yn reit handi. Os ydi'r Glas yn dod i mewn, fe fydd datgan-iadau'r tystion yn llanast. 'Cyn belled â dy fod ti'n lluchio'r caniau. Gwna'n siŵr eu bod nhw ddim yn dy bocedi.'

'Ie.' Edrychodd y boi mawr tuag at ei ffrindiau ar y Daytona Rally. 'Chi'n ffansïo fi fel cochyn?'

Rhoddodd Queen Max glep iddo ar ei ben, yn galed. 'Rhyfel Ffederasiwn ydi hwn!' Dros sŵn yr arcêd, dywedodd wrth bob un, 'Unrhyw arf fyddwch chi'n ei ddefnyddio, rydych chi'n ei golli fo cyn cael eich dal. Deall? Yn yr afon, os oes raid.' Edrychodd rownd yr ystafell ar bob un. 'Peidiwch â chael eich dal. I Dolly fach mae hyn – *dim* carcharor - ion, dim anafiadau. *Iawn*?'

'Iawn.'

Collodd y ceir rali bob rheolaeth, disgynodd sgïwyr dros ymyl sawl dibyn, bu farw saethwyr laser wrth i bawb gadw eu sylw ar Queen Max.

'Cyfarfod yn Ropeyard Arms am hanner – martsio ar y Barrier, ar hyd glan 'rafon.'

'Ieee!'

'A gwell i neb fod yno heb liw yn ei wallt!'

Edrychodd Charlie Ty ar y can yn nwylo Snuff. ''Rioed wedi gweld Tsieinead efo gwallt coch?' gofynnodd.

'Dim ond o waed,' meddai Snuff.

Dim ond piffian wnaeth Charlie Ty.

Roedd y Criw yn cuddio i lawr wrth y creigiau, yn esgus taflu cerrig at droli siopa. Gallent fod wedi bod yn unrhyw griw o blant yn gwastraffu amser ar ddydd Sadwrn. Roedd Charlton Athletic yn chwarae adre efo Millwall, clwb lleol arall, felly roedd hen ddigon o bobl ifanc yn dechrau ymgasglu. Os oedd hofrennydd heddlu yn chwilio am arwydd o drwbl, nid yng nghanol tref Thames Reach fyddai hynny ond yn Charlton ger y cae pêl-droed.

Eisteddodd Baz Rosso ar risiau'r afon yn rhoi gorchmynion.

'Dim arfau!' meddai. 'Ryden ni'n mynd i'r dre, tyden? Unrhyw un yn cario – fydd o ddim yn para dau funud. Mi fyddwch chi ar fideo ac mi geith y

gyfraith chi. *Hood* i fyny a defnyddiwch eich traed –
isio'u cicio nhw'n fflat yden ni.'

'*Dim byd, man?*' gofynnodd Theo. 'Nid fy mortar
80 milimetr?'

Edrychodd Baz Rosso arno, plygodd at y creigiau
a chododd garreg wastad. 'Un o rhain yn dy ddwrn
neu lond llaw o allweddi. Ond dim byd elli di ddim
ei ollwng heb godi amheuaeth, nac unrhyw beth
fase gen ti yn dy boced, yn *legit*.'

Dechreuodd y Criw ifanc edrych o'u hamgylch
am gerrig iawn.

'Felly sut yden ni i w'bod 'u bod nhw'n dod?'
gofynnodd rhywun. 'Os ydw i'n sefyll yn nrws y
DDS, sut ydw i i fod i wybod eich bod chi'n dod â
nhw, yn rasio drwy'r dre?'

Gwenodd Baz Rosso, yr arweinydd mawr. Aeth
i'w boced i nôl ffôn symudol. 'Diolch i Mal Julien,'
meddai.

'Paid â dweud wrth bawb, *man* – 'di o ddim yn
gw'bod!' rhybuddiodd Theo.

'Mae gen i un, ac mae ganddo fo un.' Pwyntiodd
Baz at Kaninda, oedd wedi bod yn sefyll yn dawel
yn erbyn wal yr afon. 'Fo di'r boi i chi edrych arno
fo. Pan mae o'n cael y gair 'mod i'n dod, mi roith o'r
signal.'

Sut?' Edrychodd pawb at Kaninda; taflodd yntau
ei ben yn ôl a gollwng ei sŵn udo-fel-siacal orau, y
sŵn a ddysgodd gan Rhingyll Matu, y sŵn oedd

cystal nes twyllo'r siacalau eraill. Roedd yn sgrech uchel, bysedd yn ei glustiau.

'Wedyn, rydych chi'n aros iddyn nhw basio ac yn dod allan o'ch lle cuddio...'

'A *neidio* arnyn nhw!'

'Yn union. Neidio arnyn nhw'n galed!'

'Ond peidiwch â chwalu'r Nokias newydd 'na!' bygythiodd Theo. 'Neu fi fydd yn ei chael hi.'

Gyda'i gefn at y wal, edrychodd Kaninda ar y Criw – pob un gyda bwcwl ei wregys i un ochr, pob un mewn *hoodie* – symbolau byddin ac mor ddi-brofiad ag oedd Kaninda Bulumba pan gafodd ei recriwtio o fod yn fachgen stryd yn Lasai. Ond ymladd dros falchder eu tylwyth roedden nhw, felly roedd o'n adnabod eu hysbryd.

Ac fe fyddai'n eu cynorthwyo, petai'n gallu – er mwyn Laura – cyn iddo adael y ddinas hon i gymryd rhan yn y rhyfel go iawn.

PENNOD PYMTHEG

Daeth Laura allan o'r tŷ. Teimlai fod rhywle roedd yn rhaid iddi fynd, rhywbeth roedd yn rhaid iddi ei wneud cyn gadael Prydain am fywyd newydd – roedd yn rhaid iddi siarad â'r ferch fach oedd efallai wedi colli ei bywyd, boed hwnnw'n hen fywyd neu'n un newydd. Roedd yn rhaid iddi gyffesu.

Roedd yr ysbyty ar Matchless Hill, oedd yn arwain o ran isaf Millennium Mall at Windmill Common ar y brig, yn ddigon pell o'r lle roedd y Clychau Arian yn canu alawon Duw. Roedd yr olygfa o'r afon, o Gromen y Mileniwm ac o faes awyr Dinas Llundain yn ddihafal; hynny yw, i'r rhai allai'i gweld. Yr hyn na wyddai Laura oedd ym mha gyflwr yr oedd Dolly Hedges ynddo a ph'un ai oedd hi'n medru gweld na chlywed dim.

Ond nid oedd am fynd i ddarganfod hynny ar ei hunion; pan drodd allan o ddrws ffrynt y tŷ i gerdded ar hyd Ffordd Wilson, galwodd rhywun ei henw o ochr arall y ffordd.

Sharon Slater oedd yno, yn llechu y tu ôl i goeden blanwydd; ac yn ei llaw, wedi'i lapio mewn papur newydd, roedd y plât rhif. *Y* plât rhif.

'Sharon...' syllodd Laura ar y plat.

'Wyt ti eisiau hwn, wyt ti?'

'Pam?' Trio chware blŷff.

'Mae Dad yn addurno'r llofft. Mi fydd o â'i fysedd ym mhobman. Mae gen i stwff lawr ochr y bath, ond alla i ddim colli hwn...'

Roedd calon Laura yn dechrau cyflymu. Nid blacmel oedd hyn, nage? Y foment olaf cyn iddi fynd? 'Pam bo ti'n meddwl 'mod i isio fo? Dim fi bia fo.'

'Ond dy *fusnes* di 'di o!' Daeth golwg ei llysfam dros ei hwyneb, golwg oedd yn dweud, 'Rwyt ti mor euog â phechod, fy merch i.' *Gwybodus* oedd y gair. 'Mae 'na ryfel ymlaen am hyn i gyd heddiw, a dwi ddim isio cael fy ngweld yn taflu hwn i'r afon, diolch. Ond mi fedri di os ti isio. Neu...'

Ni arhosodd Laura i gael gwybod, neu beth. 'Rho fo i mi,' meddai. 'Mi ga' i wared ohono fo i ti.'

'Cael gwared ohono fo i *ti*!'

''Run peth.' Ceisiodd Laura ymddangos fel petai hi uwchben y gwiriondeb yma, ceisio edrych fel arweinydd ifanc Milwyr Duw yn cario ychydig o awdurdod o gwmpas y lle yma. Roedd ganddi fag plastig gyda hi – roedd hi *yn* mynd i nôl stwff ar gyfer eu cyfnod cudd; roedd anghenion gan ferch na fyddai bechgyn byth yn meddwl amdanynt – felly ni fyddai'n rhaid i hynny gael ei weld. Os na allai gael gwared â'r plât cyn hynny, fe allai gael gwared â'r plât yng nghanol yr afon wrth iddi rwyfo at y llong...

'Wela'i di o gwmpas,' meddai Sharon.

'Dwi'n amau hynny,' meddai Laura, heb fedru atal ei hun. Ond os oedd y geiriau wedi golygu unrhyw beth i Sharon, ni ddwedodd air.

Dim ond ffeilio'r peth gyda gweddill ei chyfrinachau, mae'n debyg.

Fel lleng Rufeinig, dilynodd y trŵps Queen Max allan o faes parcio'r Ropeyard Arms. Nid oedd unrhyw un yn y bar wedi rhoi sylw iddynt yn ymgynnull y tu allan; ni fyddai unrhyw beth ond y diodydd o'u blaenau yn cael sylw gan yfwyr y Ropeyard: dim teledu Sky, dim peiriannau, dim modd cysylltu â'r we.

Roedd llwybr yr afon wedi'i glustnodi fel llwybr troed dinesig i Greenwich, yn pasio drwy Ystâd Barrier; ond ni fyddai llawer yn cerdded arno. Ni fyddai prin neb yn *cerdded*. Felly, i'r Ffeds, hwn fyddai'r llwybr cudd brys heibio ochr yr afon o ganol y dref ac i faes y gad. Efallai fod y Criw yn gwybod fod y Ffed ar y ffordd, ond ni fyddai syniad ganddyn nhw o'r grym oedd ar fin eu taro. Nid gwneud hyn er mwyn cael cic roedden nhw, ond er mwyn malais hefyd. Fe fyddai ffenestri blaen ceir yn cael eu chwalu, petrol yn cael ei dywallt i mewn i garejys dan glo ac yna'n cael ei gynnau, ffenestri fflatiau'n deilchion ac, yn bwysicaf oll, roedd y Criw yn mynd i gael eu taro, eu cicio neu eu torri – gan nad oedd y Criw yn galed fel y Ffed. Roedden nhw'n chwarae efo seremonïau derbyn a byclau i un ochr, roedden nhw'n byw ar yr ystâd newydd – balchder y fwrdeistref – ond roedden nhw'n dod o bob cwr o'r byd yn hytrach na strydoedd solet y Thames Reach. Pwdr oedd y Criw.

Roedd Queen Max yn gwisgo'r sgert fyrraf y gallai'i chanfod, ei bol yn noeth a'i hysgwyddau yn gloywi o effaith sgrwb corff. Roedd ei gwallt yn las i fatsio'i llygaid ac roedd ei hwyneb yn hyll o ganlyniad i wingo ei nodweddion del yn dynn, trwy gasineb. Roedd ei bŵts yn rhai mawr, hir, du â charreiau, ei dwylo'n rhydd, ond â bag Boss ar ei chefn, pymtheg modfedd o hyd gyda chyllell bwtsiar pedair modfedd ar ddeg y tu mewn.

Ac yng nghrombil y Ffed, roedd dewrder cwrw, a mwy nag ambell snwff.

Dechreuodd y llafarganu wrth iddyn nhw ledaenu ger y promenâd a redai heibio canol y dre.

'Lladd! Lladd! Lladd! Lladd!'

Bomiodd gwylan tuag atynt a throi i ffwrdd mor dynn â Thornado'r RAF.

'Lladd! Lladd! Lladd! Lladd!'

Roedd y Barrier hanner milltir arall i ffwrdd, ond roedd y cynhesu hwn yn hanfodol. Y tu ôl i'r tri arweinydd – Queen Max, Charlie Ty a Snuff Bowditch – roedd yr hen lawiau caled eraill, tua ugain ohonynt; yna rhai pymtheg a phedair ar ddeg oed, merched Ffed ymysg y bechgyn, wedi'u tanio ac, yn y gyn-ffon, milwyr bach y Ffed, y 'mewn ac allan', y plant oedd yn rhedeg i mewn, yn anfon y gyllell i mewn ac yn rhedeg allan.

'Lladd! Lladd! Lladd! Lladd!'

Ond nid oedd Baz Rosso a'r Criw yn aros amdanynt wrth y Barrier. Uwchlaw'r afon, roedd hofrennydd yr heddlu yn hofran uwchben Charlton gydag ysbienddrychau'n pwyntio tuag at gwmni Millwall ond roedd y fintai hon o'r Criw yn anelu tua dwyrain y promenâd.

'Hei, *man*, gwranda!' Gwthiodd Theo o flaen Baz Rosso.

'Y?'

'Gwranda'n iawn!'

'Lladd! Lladd! Lladd! Lladd!'

'Maen nhw'n dod... A?'

'Ond 'den ni i fod i gyrraedd yna'n gynta', dech-rau pethau lawr yn y Ropeyard...'

Oni bai am Theo, ni chamodd neb allan o rythm y martsio a'r llafarganu tuag at y Ffed.

'Dim bwys; siwtio ni'n well. Dim mor bell i redeg.'

'Ie! Pos-i-tif!'

Dechreuodd rhywun adrodd geiriau'r Ffed, 'Lladd! Lladd! Lladd!...'

'Neg-a-tif, *man*! 'Ar-teith-io!' 'Ar-teith-io!' 'Ar-teith-io!' Roedd yn rhythm cyflymach i fartsio iddo, fe fyddent yno'n gynt.

Dechreuodd plant y Criw ddefnyddio'r un geiriau. 'Ar-teith-io!' 'Ar-teith-io!' 'Ar-teith-io!' Baz Rosso oedd yn arwain, y Nokia yn ei law, rhif Kaninda ynddo'n barod, dim ond angen pwyso *'send'*.

A rŵan gallent eu gweld – y Ffederasiwn yn cyrraedd, y tu ôl i Queen Max. Gyda chanol y dref i un ochr, yr afon ar yr ochr arall, daeth y ddau griw o fewn deng metr ar hugain i'w gilydd. Roedd hen ddyn yn eistedd ar fainc; edrychodd y ffordd hon a'r ffordd arall cyn codi'i draed fel petai ei annwyl wraig ymadawedig yn hwfro.

'Lladd! Lladd! Lladd! Lladd!'

'Ar-teith-io!' 'Ar-teith-io!' 'Ar-teith-io! ' 'Ar-teith-io!'

Cododd Queen Max law i arwyddo: arhoswch. Roedd tatŵ'r F dan ei chesail.

Arwyddodd Baz Rosso, arhoswch, hefyd.

'Y diawled dewr!' meddai Snuff. 'Dim ond deg ohonyn nhw...'

Ond roedd Queen Max yn gwgu. 'Rhyw stỳnt 'di hyn...'

'Pa stỳnt?' gofynnodd Charlie Ty. 'Fasen nhw'm yn medru codi baner, heb sôn am fyddin! Maen nhw jest yn dangos eu hwynebau. Mi fyddan nhw wedi rhedeg i ffwrdd a meddwl mai dyna 'di 'i diwedd hi...'

Syllodd Queen Max ar Baz Rosso – syllu'n ôl dros ofod o ddeng metr ar hugain a chyfnod o chwe blynedd. Roedd ei llygaid yn cyfathrebu na ddylai rhywun chwarae o gwmpas efo rhywun fel hi.

Ond, Baz Rosso oedd *Il Duce* pryfocio. Gwyddai sut i godi gwrychyn pobl. 'Wedi gadael dy fest adre, Max-*eene?*' galwodd; gan dynnu ei henw allan yn hir a llawn gwich dirmyg. 'Neu wnest ti'i gadael hi yng nghar rhyw hen *codger*, dwed?'

Syllodd yn ôl. Poerodd rhywun y tu ôl iddi. Roedd arfau yn cael eu troi a'u trosi mewn dyrnau chwyslyd. Unrhyw eiliad rŵan ...

'Neu ydy Ty a Bowditch yn ymladd dros bwy sy'n mynd i gael ei gwisgo hi heno? Dal i badio dy fra efo Tampax, wyt ti?'

Dyna ni. Gan ddangos yr F eto, tynnodd Queen Max y gyllell o'i bag ac arwain yr ymosodiad tuag at Rosso a'r Criw.

'Lladd!'

Ond ni redodd y Criw, eto. Roedden nhw'n dal eu tir nes bod y Ffed yn ddigon agos i arogli gwaed, yna, *'Scappare!'* llefodd Baz Rosso, a throdd y Criw gan redeg, nid yn ôl tua'r Barrier ond o'r promenâd, trwy'r gwrychoedd a'r gwlâu blodau ac i'r dref.

'Lladd!' Ac aeth y Ffederasiwn ar eu holau, byddin y pennau lliw yn erlid llond dyrnaid o hoodies yn

gwasgaru. O fewn eiliadau, yr unig un ar ôl ar y promenâd oedd yr hen ddyn, yn gafael yn dynn yn ei ben-glin lle cafodd ei gicio gan fachgen deg oed.

Rhedodd y Criw nerth eu traed, i fyny ac i mewn i'r dref. O ddrws y siop angladdau, gwelodd Kaninda nhw'n dod; a'u clywed cyn i'r ffôn Nokia drydar.

Roedd y Stryd Fawr a oedd yn arwain i fyny o'r afon yn rhodfa ddi-geir – gyda meri-go-rownd Ceffylau Bach, fan hufen ia, y Millennium Mall lle'r oedd y rhan fwyaf o'r siopau – a heddiw, yn y pen pellaf, Clychau Arian Milwyr Duw yn canu emynau. Prysur ac arferol.

Golwg llai arferol oedd ar gang y Ffederasiwn oedd rŵan yn rhedeg tuag ato. Gwelodd Kaninda ferch ffiaidd pen-las ar y blaen yn agosáu at ddenwyr y Criw, mor agos fel y gallai roi swing tuag atynt. Roedd Tsieinead iard yr ysgol yn edrych yn goch ac yn ffyrnig; y lleill i gyd yn bennau llachar a llygaid caled fel rhyfelwyr llwythol. Roedd tylwyth y Ffederasiwn yn cael ei dwyllo a'i arwain i'r trap. Fe fyddai Rhingyll Matu wedi trefnu llu i ddod o'r cefn a diddymu'r rhedwyr cynffon, a'u hatal rhag rhedeg wrth i'r fagl gau amdanynt; ond nid oedd digon o drŵps gan y Criw, ac roedd yn rhaid i Kaninda aros nes bod prif rym y Ffederasiwn yn saff yn y stryd. Gallai weld Baz Rosso yn rhedeg yn ei flaen, yn edrych dros ei ysgwydd, yn barod i droi ac ymladd yng ngheunant y siopau; a gwelai fod erlidwyr y Ffederasiwn yn ansicr a oedden nhw eisiau dod i mewn i'r dre fel hyn. Rhoddodd y ferch ar y blaen ei chyllell yn ei sach cefn, ac edrych o'i chwmpas. Ond roedden nhw yma rŵan; yn sydyn, penderfynasant fod yn ffiaidd i bob cyfeiriad. Bwriwyd dynes a oedd yn eu ffordd i'r llawr, ei siopa rhad ar hyd y pafin.

'Y rapsgaliwns bach!'

Edrychodd plant bach o'r gylchfan i lawr ar yr erlidwyr ac mae'n rhaid iddyn nhw feddwl mai hwyl dydd Sadwrn oedd hyn, tan i fachgen bach gael ei bwnio yn ei goes gan rywun yn erlid, a disgyn i'r llawr. Trodd y llygaid llydan yn gegau llydan wrth i'r bachgen ar y llawr sgrechian ac i'r gang lafarganu – 'Lladd! Lladd! Lladd!'

Iawn, rŵan! Chwipiodd Kaninda ei ben yn ôl a rhoi'r ail sgrech siacal fel signal i ymosod. Ac ar eu hunion, daeth y Criw o byrth, o'r tu ôl i goed, faniau hufen ia a hyd yn oed oddi ar y Ceffylau Bach eu hunain – yn syth at y gelyn, heb roi cyfle i neb roi tro ar beth bynnag oedd ganddyn nhw yn eu dwylo, mynd ati gyda gornest glòs, dyrnau, ergydion, cicio a bytio, ymladd stryd gyda'u dyrnau.

Roedd sgrechiadau a gweiddi a rhegi. Gwarchododd y rhieni eu plant y tu ôl iddynt, gwthiwyd babanod mewn coetsys i mewn i siopau, gwasgarodd oedolion yn afreolus, heb bwer i roi diwedd ar y terfysg a oedd ar droed. Cododd dyn oedd ar y Ceffylau Bach ei ffôn symudol, diffoddwyd peiriant y fan hufen ia a rhoddodd Capten Rose orchymyn i'r band roi'r offerynnau yn eu gorchuddion ac i fynd i mewn i'r siopau. Ond nid oedd Kaninda'n ymwybodol o ddim ond ymladd.

Trais wyneb yn wyneb oedd yno, ac roedd gwefr a chynnwrf y peth i'w weld yn wynebau eiddgar pob un llabwst. Am y tro, nid oedd dim byd yn brifo iddynt; dim ond stwff i'w sychu o'r ffordd oedd gwaed a baw trwyn a phoer. Petaent yn rhoi un cam gwag, byddent yn cael eu cnocio i ebargofiant, oni bai fod rhywun yn eu tynnu'n ôl ar eu traed, ond roedden nhw'n deall hynny – roedd hyn i'w wneud â'r risg a'r cyffro, lle mae casineb a thrais yn rhoi rhyw fath o bwrpas i'w bywydau. Dyna pam eu nhw bod yno – ac er mwyn balchder, a'r tylwyth.

I Kaninda, dyma roedd o wedi cael ei hyfforddi i'w wneud, dyma roedd o wedi'i wneud trwy'r flwyddyn, ond nad oedd ganddo'i M16 heddiw. Ymladd *dojo* oedd hyn – wedi'i wneud yn fwy garw ar gyfer gornest go iawn. Dewisodd ei darged yn gyflym, mynd yn syth at Charlie Ty, gan fod diddymu arweinydd yn diddymu morâl fel carreg yn suddo. Ond trwy'r frwydr, gwelodd fflach cyllell Ty. Cafodd llygaid Kaninda eu hogi ar ei min – pwynt ar i fyny ac mae'n dod at yr ystumog; pwynt i lawr ac mae'n dod o uwchlaw at y frest.

Pwynt i fyny – slei; roedd y Tsieinead yn ceisio'i chadw'n gudd ond roedd o'n rhedeg ato'n gyflym; nid y waedd na'r wyneb cnotiog fyddai'n rhaid poeni amdano ond grym y gyllell. Ni throdd Kaninda, ni redodd, gadawodd i Ty ddod – a' r foment pan ddylai'r gyllell fflachio i fyny, neidiodd Kaninda, ei goesau yn gyntaf, un y tu ôl i'r llall, a thaflu ei freichiau wedi eu croesi o flaen ei gorff er mwyn rhwystro'r trawiad a tharo garddwrn yr ymosodwr. Oherwydd ei nerth syfrdanol, roedd y Tsieinead yn gwegian yn ei ôl, a chyn iddo ddarganfod ei gyd-bwysedd eto, roedd troed Kaninda wedi taro'n syth i mewn rhwng ei goesau, gan beri iddo blygu'n ddwbl i dderbyn y droed nesaf yn ei wyneb – yr hyn y byddai Rhingyll Matu wedi'i alw'n *jiwsi-jiwsi!* Dyna'r Tsieinead wedi'i sortio.

Trodd Kaninda i gyfeiriad arall. Nid oedd y fath beth yn bod â chanolbwynt yr ymladd, gan nad oedd ymylon. Roedd pawb yn ymbalfalu, yn hacio, yn cicio, yn pwnio a chlybio – ond doedd gan y Criw ddim arfau ac ni allent gadw mantais yr ambwsh yn hir. Nid yw cicio yn curo clybiau; pwniaid a bytiau ddim gwerth yn erbyn ceiniogau wedi eu hogi yn cael eu gwthio i wynebau: hyd yn oed gyda cherrig yn eu dwylo ac allweddi rhwng eu bysedd, roedd y Criw yn ymladd ar lefel arall. Roedd Baz Rosso wedi gwneud camgymeriad: tanbrisio bwriad treis-iol y trŵps yma.

Roedd Rosso wedi mynd am y ferch fawr – arweinydd yn erbyn arweinydd. Roedd hi'n mynd i'r afael â'i wallt o ac yntau'n anelu pen-glin rhwng ei choesau hithau, yr holl ffordd ar hyd grisiau tro'r Ceffylau Bach; ond roedd rhai eraill yn cwympo. Gwelodd Kaninda beth roedd angen i'r Criw ei wneud. Chwalu.

'Tynnwch yn ôl! Rŵan! I ffwrdd!'

'Mewn yma, chi-lot!' clywodd Theo ei orchymyn a dechrau rhedeg ar hyd y pafin ac i mewn i fynedfa wydr y Millennium Mall: lle'r oedd siopau a lefelau a allai roi lloches a ffordd o ddianc. 'Tyrd o 'ne, *man*!' Llusgodd Kaninda i mewn.

Aeth rhai o'r lleill gyda nhw, ond nid pawb. Ni chlywodd pawb, rhai ddim eisiau, rhai eraill yn gor-wedd gan waedu ar balmant y Stryd Fawr, rhai'n rhedeg i ffwrdd at yr afon, y Ffederasiwn ar eu holau fel mae llewes yn erlid y carw arafaf.

Ac nid yr ymladdwyr yn unig oedd yn dianc. Ni allai wynebau ofnus y siopwyr gredu'r fath drais yn tarfu ar eu Stryd Fawr; rhedasent mewn clystyrau, gan gymryd noddfa mewn siopau, tynnu plant ar eu holau â'u coesau'n llusgo'r tu ôl iddynt, gwthio neiniau a theidiau o'u blaenau, gweiddi am yr heddlu wrth i'r ysgarmes rygnu ymlaen o'u hamgylch, wrth i warchodlu diogelwch redeg ymlaen ac, o'r diwedd, daeth seiren car yr heddlu drwy'r stryd. Wrth glywed y sŵn, brwsiodd y Ffed eu lliw gwallt, cwympodd eu harfau'n glep i'r palmant a rhoddwyd un swing olaf i'r clybiau at ffenestri'r siopau. A'i heglu hi oddi yno.

Rŵan, roedd anafiadau'n dechrau brifo. Roedd trwynau'n teimlo fel petaen nhw wedi torri, tafodau yn darganfod socedau gwag lle'r oedd dannedd coll, aeth bysedd at glustiau oedd wedi eu brathu, disgynnodd clobynau mawr o waed i'r ddaear o gegau ac anafiadau, a thyfodd briwiau – rhai o flaen eu llygaid, rhai yn gudd. Gwaeth: heb fuddugoliaeth i godi'r ysbryd, roedd poeri, ac roedd teimlad afiach o gywilydd yn yr aer.

Ond nid oedd hyn ar ben. Roedd Theo a Kaninda wedi cael eu gweld yn gadael; roedd gang o bedwar ifanc o'r Ropeyard wedi gweld y ddau yn rhedeg i'r Mall.

'Lladd!' cerddodd y ddau i mewn ar frys, ffyrnigrwydd ar eu hwynebau, heibio'r drysau agored lle'r oedd pobl wedi heidio. Rhedodd Theo at C&A, Kaninda at Marks and Spencers. Ond roedd Kaninda wedi dewis siop oedd â drysau wedi eu cau yn erbyn y terfysg, a phan drodd yn ei ôl, roedd y gang o bedwar yn cerdded ato, gan gyflymu a magu grym, yn barod i ymosod – dim arfau y gallai eu gweld, ond roedd eu hesgidiau yn rhai trymion ac roedd eu dyrnau yn figyrnog wyn.

'Lladd!'

Gallai ymladd un, gallai ymladd dau; petai'n lwcus, gallai drio'i lwc gyda thri gan ei fod o'n gwybod lle i'w taro, sut i ddefnyddio'i ddwylo fel arfau. Jab bys mewn un llygad ac fe fyddai'r lygad yn rholio allan o'i soced; trawiad i'r gwddf a allai ladd; fe fyddai cyflymder a ffyrnigrwydd yn delio ag un arall. Ond pedwar! Fe fyddai'r nifer yn unig yn ei drechu, roedd yn rhaid meddu ar strategaeth dda i ennill pan oedd cymaint mwy ohonyn nhw na chi.

Y munud hwnnw, roedd un yn dod ato o'r ochr gan anelu cic. *Tyrd o 'na, cic!* Gallai ddelio â'r peth drwy gamu'n ôl ac yna ymosod ar y gelyn wedi i hwnnw golli ei falans; ei unig obaith oedd mynd i mewn i'w mysg er mwyn gwneud mwy o ddifrod. Ond roedd ei gefn yn erbyn plât gwydr y drws, ac nid oedd lle iddo neidio; fe fyddai'n taro'i ben yn erbyn y gwydr wrth geisio symud – ac fe ddaeth y gic gyntaf a'i daro'n yr union fan lle'r oedd o wedi dal y Tsieinead.

'Cymer honna'r sgỳm du!'

Plygodd yn ddwbl, cyfogi i'w graidd, ymateb naturiol ei gorff yn plygu, ni allai weld drwy'r boen, ni allai orchymyn un cyhyr i amddiffyn ei hunan. Yn y ddirboen, ymladdodd, ond ni allai atal ei ben rhag disgyn ymlaen yn llipa, yn barod i dderbyn y gic galed nesaf. Ac wrth i bobl sefyll, wrth iddynt syllu, â neb yn symud i'w helpu, daeth...

Ond na, daeth y symudiad nesaf oddi wrth iwnifform, yn rhydio trwy'r ymosodwyr ac yn rhoi iddyn nhw ychydig o'r hyn roedden nhw ar fin ei roi i Kaninda.

'Ffwrdd a chi! Heliwch eich traed, da chi!' Pwn - iadau, clatshys a chic dda. A gyda'r esiampl honno, daeth eraill i roi llaw, oherwydd Milwyr Duw oedd yn siarad, yr iwnifform oedd Mrs Capten Betty Rose, ei gŵr a dau neu dri arall o'r Clychau Arian yn ei chefnogi.

Rhedodd y gang, hyd yn oed yr un yr roedd hi wedi'i ddal rywsut yn troelli'i hun allan o'i gafael.

'Kaninda Rose, beth ddiawl sy'n mynd ymlaen yma? Sut gest ti dy hun yng nghanol y fath riff-raff?'

Ni ddwedodd Kaninda air. Nid oedd byth yn dweud rhyw lawer wrthi, ond eto, y foment hon, ni allai fod wedi dweud *Syr* wrth Rhingyll Matu. Aeth ar ei gwrcwd a chofleidio'i boen, anadlu'n ddwfn a phoeri ei chwd i lawr y Mall.

'Rwyt ti'n iawn, *man*. Dylet ti 'di dod efo fi. Pos-i-tif!' Roedd Theo wedi dod yn ei ôl.

'Be ti'n 'neud? Be sy'n mynd 'mlaen?' Roedd Capten Betty yn dal am gael gwybod; ond rŵan roedd hi'n cyfeirio'i chwestiwn at Theo, gan y byddai ef efallai'n medru ei chynorthwyo.

'Ryden ni i lawr yma i gael bach o sbec, a rŵan ryden ni wedi cael ein hunain yng nghanol y rwtsh yma!' edrychodd Theo i fyny ar y ddynes fawr. 'Ding-dong. Trais! Casáu'r peth!'

Roedd Kaninda'n dal i edrych ar y llawr, yn llarpio anadlu. Ond beth oedd hi wedi'i ddweud, ei alw fo? Kaninda *Rose?* Allan o'i cheg fel'na, yn ei siarad cyflym? Haerllugrwydd y peth! O, gyts fel Rhingyll Matu! Roedd hi wedi gwneud yr hyn nad oedd neb arall wedi'i wneud. Roedd hi wedi gollwng ei hun yn rhydd fel petai hi wir yn fam iddo.

'Kaninda, mae'n well i ti ddod adre efo fi. Yr holl wrthdaro 'ma, a phopeth.'

Safodd ar ei draed yn araf.

'Ie, *man*, well i ni fynd adre,' perswadiodd Theo. 'Da ni'm isio mwy o'r galanas 'ma...' a gyda'i fraich am Kaninda, cerddodd i ffwrdd. 'Bydd o'n hyncidori 'fo fi, Mrs Capten...'

Y tu allan i'r Mall, roedd y symud yn arafach ond y siarad â'r crio yn ddigon uchel. Ac roedd seiren ambiwlans yn sgrechian cyrraedd tra bod hofrennydd yr heddlu uwchlaw wedi cael ei ddargyfeirio o'r pêl-droed ac yn hofran yno.

Edrychodd Kaninda o'i amgylch heb droi ei ben. Roedd Baz Rosso wedi mynd, ond roedd gwarchodlu a dwy ddynes yn mynd â'r arweinydd, y ferch fawr, i'r Mall, o'r stryd. Roedd ganddi fag am ei hysgwyddau, ond rhwng ei strapiau roedd ei chroen wedi'i chleisio a'i dorri. Roedd hi'n llachar goch gyda'i gwallt yn flêr dros ei hwyneb. Cerddodd gyda nhw gan siarad am rywun yn neidio arni, ddim bellach yn edrych fel arweinydd ond fel collwr mewn rhyfel giang.

Yn boenus, cerddodd Kaninda adref. Roedd wedi gwneud yr hyn ddwedodd y byddai'n ei wneud. Roedd o wedi derbyn cic galed, ond roedd o wedi talu ei ddyled i'r ferch, Laura; ni fyddai Baz Rosso'n ei chosbi hi. Roedd un targed wedi'i gymryd. O hyn allan, dim ond dau oedd ganddo: setlo'i ryfel â'r Yusulu yn Llundain, a mynd ar ei long i Mozambique.

*

Gwthiodd Laura ei hwyneb rownd ymyl drws y ward. Nid ward i blant oedd hi, roedd gwlâu i chwech yn y darn hwn – pum dynes oedd yn y lleill, tair ohonynt yn eistedd mewn cadeiriau ac yn syllu i'w chyfeiriad fel petai Laura'n ddynes o Mars. Ond nid oedd modd camgymeryd Dolly Hedges. Hi oedd yr un fach lipa, yn union fel roedd ei henw wedi'i darlunio hi yn nychymyg Laura. Roedd hi wedi'i chodi i fyny gan sawl gobennydd, yn cysgu ond yn anadlu'n weddol ddwfn, ac nid oedd unrhyw diwbiau, dim peiriannau trydanol, dim byd yn cadw sŵn.

'Mae hi'n well heddiw,' meddai un ddynes.

'Wedi bwyta tamaid o frecwast,' meddai un arall. 'Y beth fach druan.'

'Siarad rhwyfaint mwy,' meddai'r cyntaf.

Newyddion da! 'Felly mae hi'n dod allan ohono fo?' ychwanegodd Laura.

'O, ydi,' yn blwmp ac yn blaen.

Edrychodd pawb ar Laura wrth iddi dynnu cadair Dolly allan ac eistedd arni. Roedd hi eisiau gafael yn y llaw fach ond ni feiddiai gyffwrdd ynddi; ei gobaith oedd y byddai Dolly'n medru clywed ei chyfaddefiad, ond p'un ai a oedd y ferch yn mynd i'w chlywed ai peidio, rŵan fod y foment wedi dod, rholiai nerfusrwydd i fyny yn stumog Laura fel brig ton yn y Seychelles.

'Dolly...'

'Gelli di siarad efo hi, cariad.' Nyrs oedd yno. 'Mae hi wedi bod yn siarad efo ni, yn dwyt ti, Dolly? *Ac* mae hi wedi newid ei record, o'r diwedd.'

Trodd Laura ei phen.

'Un gair arall, ond fe ddaw'r gweddill, siŵr o fod.'

Nid oedd Dolly wedi deffro, ond nid oedd y nyrs yn dangos unrhyw ofid am hynny.

'Beth oedd... y gair newydd?' Roedd y gair cyntaf wedi bod yn ddigon hanfodol. Gan eistedd yno, ni wyddai Laura sut y bu iddi lwyddo gofyn y cwestiwn, ond dyna lle'r oedd o, y cwestiwn, yn dod allan.

'"Fan","Gwyn" – Dyna beth mae hi'n dweud wrthym ni. Rhaid mai fan wen drawodd hi...'

Fan!

Trodd Laura yn ôl i syllu ar y ferch yn ei thrwm-gwsg.

Fan?

A'r tu mewn iddi, wrth iddi eistedd yno'n edrych ar yr wyneb heddychlon, trodd ei thon Seychelles i fod yn llanw clir a sydyn dawel ar draeth arian: wrth i eglurder ddod iddi'n sydyn; wrth i fyd newydd Dolly ei galluogi hi i weld y digwyddiadau unwaith eto, a mewn ffocws, ar ôl iddynt gael eu niwlo gan ei thrawma.

Fan wen. Ie, fan wen! Y fan a ddaeth allan o'r ffordd ochr gan frysio o'u blaen wrth iddi hi ganolbwyntio ar lywio'n syth. Nid eu car nhw oedd yr unig un ar y stryd y diwrnod hwnnw; wrth gwrs, na. Yn ei phen, yr unig beth yr oedd hi wedi bod yn ei weld oedd y ferch yn rhedeg allan, Theo'n cipio'r olwyn lyw, troi a tharo yn ei herbyn wrth iddi hithau edrych mewn panic am y brêc – a'r peth nesaf, roedd y ferch yn y gwter mewn pentwr. Ond yn ei phen euog, roedd hi wedi dod i'r casgliad nesaf. Gallai weld y peth rŵan: y fan wen a ddaeth rhyngddynt. Roedd wedi torri i mewn o'i blaen; fo oedd y cyntaf i ddreifio ar hyd y stryd. Nid eu car nhw darodd Dolly, ond y fan wen – wedi taro'r cwrbyn roedden nhw – a sut fyddai'r ferch fach wedi gweld trwy'r fan wen i weld Laura Rose beth bynnag?

Dyna lle'r oedd o; mor glir â chrisial ym mhen Laura – ac roedd yn rhaid iddi gydio ynddo, ei gofio.

'Dolly!' meddai.

Roedden nhw wedi bod yn dwp, gallai hi a Theo fod *wedi* achosi damwain ddifrifol drwy wneud pethau troseddol fel yna. Ond nid nhw oedd wedi gwneud hynny, mewn gwirionedd. Tynnodd Laura anadl ddofn a chwythu'r anadl yn ôl allan. 'Yno y byddwn innau oni bai am Ras Duw...' dyna roedd pobl yn ei ddweud?

Gras Duw! Sythodd Laura a syllu o amgylch y ward. Roedden nhw'n haeddu cael eu cosbi, a'u cosbi'n galed, ond roedd y canu clir yn ei phen erbyn hyn yn cario'r newyddion gorau oll. Roedd hi wedi derbyn gras Duw o'r diwedd; roedd hi wedi gorfod aros, ond gyda'r newyddion hyn, gallai geisio hedd gydag Ef. Hyd yn oed yn llygaid ei mam, doedd hi heb fod mor ddrwg fel na fyddai hi'n mynd i'r Nefoedd un diwrnod.

Plygodd i gusanu Dolly ar ei boch; ac yn dawel, ac yn araf, er mai dawnsio allan o'r ward fel petai ar gychwyn sioe gerdd yr hoffai'i wneud, aeth at ddrws yr ysbyty ac i lawr drwy'r Millennium Mall i ganol y dref er mwyn darganfod lle roedd y Clychau Arian a dechrau taro'i drwm bas lle bynnag y gadawodd hi ef.

PENNOD UN AR BYMTHEG

Rhedodd Laura, ei phen yn teimlo'n ysgafn gan fod ei heuogrwydd wedi'i godi. Roedd hi eisiau gwenu ar bobl, eisiau bendithio plant bach. Roedd hi wedi bod yn dwp – yn rebel, yn bechadures, er nid mor ddrwg ag yr oedd hi wedi'i gredu – ond rŵan gallai ennill lle iddi hi ei hunan yn ôl ar yr aelwyd. Nid oedd gan ei mam unrhyw reswm dros ei diarddel, nid oedd arni angen rhedeg oddi cartref; nid oedd hi'n un o'r rhai na chai fynd i'r Nefoedd, un diwrnod.

Roedd darn uchaf y Millennium Mall yn brysur fel arfer. Hwn oedd y lefel uchaf a oedd yn troi'n llawr cyntaf, gyda lifft a grisiau symudol i lawr i'r llawr ar y lefel is. Ond y ffordd gyflymaf oedd rhedeg i lawr y rhiw ar ei hunion. O dan olau'r to gwydr onglog, nyddodd Laura drwy'r siopwyr, o dan addurniadau Pasg yn troelli, heibio'r AA, heb wneud y loteri, heb fynd i'r Southern Bank am gredyd. Roedd hi wedi cael ei chredyd yn ôl yn llygaid Dyw. Roedd popeth yn freuddwyd.

Ond roedd rhyw gyffro o'i chwmpas ger y gris-iau symudol, torf fel cynulleidfa nad oedd eisiau gwasgaru ar ôl damwain. Roedd pobl yn siarad mewn clystyrau, pawb ar unwaith; roedd gweith-wyr y siopau wrth y drysau, yn syllu allan ac o'u hamgylch heb amrantu. Roedd rhywbeth wedi digwydd ac fe wyddai hi beth.

Gan afael yn dynn yn ei bag plastig – nid oedd hi wedi cael gwared â'r plât yna eto – nyddodd Laura trwyddynt, a chael ei llorio gan weld Baz Rosso yn cerdded i mewn gyda golwg benderfynol, yn edrych o'i amgylch am rywun...

Roedd o wedi'i bygwth ddoe, ond wrth weld ei wên slei pan welodd ef hi, roedd yn amlwg nad hi roedd o'n chwilio amdani. Ond ni allai redeg heibio heb air o unrhyw fath – beth bynnag, efallai ei fod o'n gwybod lle roedd Kaninda, ac roedd rhywbeth roedd yn rhaid iddi ei ddweud wrtho fo.

Cododd Baz ei ddwrn yn herciog wrth weld arwydd bach o fuddugoliaeth. 'Ddangoson ni iddyn nhw, do?'

'Y Ffederasiwn?'

'Shh' meddai, a dal i edrych o'i amgylch, felly gallai hi redeg yn ei blaen.

Ond roedd eu sgwrs wedi'i glywed gan rywun ddaeth ar frys y tu ôl i Laura, gan chwyrlio allan o'r swyddfa ddiogelwch. Queen Max. Tarodd i mewn i Laura wrth anelu at Baz Rosso.

'Gwylia dy hun!' gwaeddodd Laura.

'Dangos i *bwy, tosser*?!' Bachodd y ferch fawr yn ysgwyddau Rosso, cnocio Laura i'r llawr wrth droed y grisiau symudol, a gadael i'r bag glecio i'r llawr a'r plât i sglefrian ar hyd y llawr marmor fel hambwrdd ar lyn rhew.

G34 MLS

'*Ti!*' Trodd Queen Max at Laura, oedd yn gorwedd yno.

Cododd Laura at ei phengliniau gan fynd am y grisiau symudol, i ddianc.

'Car coch! Ti, roeddet ti'n rhan o hyn!'

'Na, car gwyn!' Roedd Laura ar y grisiau symudol, ar ei thraed, yn taflu'i breichiau i'r awyr i amddiffyn ei hunan wrth i Queen Max estyn dwrn fel carreg tuag ati a'i chwalu i'w boch. Fel y ddoli gerpiau y bu Dolly Hedges gynt, ildiodd gwddf Laura a chraciodd ei phen yn erbyn ymyl caled y grisiau symudol.

'Iesu!' Roedd Baz Rosso ar Queen Max; rhedodd y bois diogelwch atynt gan weiddi.

Ac wrth i bobl sefyll â'u cegau'n agored, cafodd corff llipa Laura ei gario i fyny, fyny, fyny i'r lefel uwchlaw.

Roedd rhif 128 Stryd Wilson fel tŷ mewn galar yn barod. Gwyddai Kaninda sut deimlad oedd rhwyg yn y stumog, sgrech mewn corn gwddf, ymennydd tyn o ganlyniad i drasiedi o'r fath. Pan adawodd milwyr Yusulu ei dŷ, roedd Kaninda wedi sefyll yn stond am efallai hanner diwrnod yn yr ystafell fyw lawn tyllau bwledi, yn rhif 14 Ffordd Bulunda. Dyna beth oedd Is-gapten Peter yn ei wneud rŵan; sefyll, syllu, ei lygaid yn anferth a'i wyneb mor wyn â'r wal y tu ôl iddo.

Roedd Mrs Captain Betty Rose wedi ymateb yn wahanol. Roedd wedi wylofain a rhefru a chrïo a galw ar yr Arglwydd yn Ei dosturi i achub Laura, i'w rhoi hi'n ôl. A rŵan, wrth i'r ddau baratoi i fynd i'r ysbyty, eisteddai yn ei chadair gan grio i'w dwylo. Edrychai'n llai heno, ac roedd ei llais yn iau, mwy fel merch, mwy fel Laura.

'Dwi wedi bod... mor dwp. Roedd y ferch yna yng nghanol rhywbeth, a sylwais i ddim. Ro'n i mor... brysur... efo fy stwff i.'

Ni allai Is-gapten Peter symud i roi cysur iddi, i roi braich amdani.

Yn sydyn, edrychodd i fyny at Kaninda. 'Dwi wedi gwneud yn iawn, ydwi? Yn dod â thi yma, i gael bywyd da?'

Syllodd yntau.

'Ond mi gollais i afael ar anghenion y ferch yna...' a chriodd y ddynes gan siglo yn ei chadair.

Yn y diwedd, ni allai Kaninda oddef mwy. Roedd Is-gapten Peter yn ffidlan efo'i allweddi, yn methu ag aros i gael mynd i'r ysbyty, ond roedd mor bell y tu mewn i'w alar ei hun fel na allai gyrraedd ei wraig. Felly aeth Kaninda ati a chyffwrdd ei hysg-wydd; ei gyffyrddiad cyntaf.

A dyna'r cwbl. Camodd i ffwrdd a mynd i'w ystafell. Agorodd a chaeodd atlas Laura, edrychodd y tu mewn i'r clawr lle'r oedd hi wedi'i arwyddo. Roedd fel petai'r inc wedi pylu'n barod, a theimlai'n wag y tu mewn. Y ffordd wirion, ddibwys roedd hi wedi cael ei hanafu! I beth? Gan fod tylwythau yn Llundain, gangiau oedd eisiau ymladd, plant oedd eisiau esgus bod mewn rhyfel go iawn: yn union fel y mae rhyfeloedd go iawn nad oes rhaid eu cych-wyn.

Ond roedd yn rhaid byw trwy ei ryfel ei hunan. Os oedd o am gadw at y cynllun, roedd yn rhaid iddo fynd i gartref N'gensi o hyd, ac yna at y cwch bach ar yr afon, er mwyn gwneud yn siŵr ei fod yn saff ar y llong siwgr. Oherwydd, pam ddylai galar newid ei gynlluniau? Nid oedd Laura erioed yn mynd i ddod gydag o – er hynny, mewn ffordd, teimlai'n well am beidio â gorfod ei thwyllo mwyach.

Daeth cnoc ar y drws. Llithrodd yr atlas o dan y gwely. Roedd Is-gapten Peter yn sefyll y tu allan.

'Rydyn ni'n mynd i'r ysbyty rŵan,' meddai. 'Mrs... Tante... Betty – mae hi'n mynd i aros yno tan—' Trodd i adael, trodd yn ôl. 'Gei di ddod gyda ni ac mi ddof i â thi'n ôl...'

Edrychodd Kaninda i fyny ato ac ysgwyd ei ben. 'Dwi'n aros,' meddai. Ni roddodd reswm, dim esgus.

Roedd Rhingyll Matu yn dweud, 'Peidiwch byth â chynnig mwy nag sydd raid i chi.' Felly ni wnaeth Kaninda.

'Does gen i ddim syniad pa mor hir fyddwn ni.'

Cytunodd Kaninda. Am byth, dyna i chi am ba hyd, cyn belled ag oedd o yn y cwestiwn.

Aethant, ac roedd gan Kaninda'r tŷ iddo'i hunan. Hawdd oedd casglu ei bac, felly; y ffrwythau roedd arno'u hangen, potel o ddŵr, siwmper dew o gwpwrdd Is-gapten Peter – ac o'r gegin, y gyllell roedd o ei heisiau. Roedd digon o amser i ddewis.

Nid ar gyfer Faustin N'gensi yn unig roedd y gyllell. I filwr, mae cyllell yn fwy na theclyn i ladd; mae'n tyllu tyllau, agor tuniau, torri coed; gall dorri allan o ddryswch. Yn Lasai, roedd y rebeliaid wedi cipio cyflenwad o gyllyll Americanaidd – Buck M9S – gyda chefn dant llif, gynt yn fidogau. Wrth iddo guddio a theithio drwy Mozambique, Zimbabwe, ac yn ôl i Lasai ei hunan, fe fyddai ar Kaninda angen y fath gyllell gyda gwain, ac roedd ei siâp yn dweud wrtho ei bod hi'n cael ei chadw'n finiog. Er hynny, daeth o hyd i'r garreg hogi a rhoi min marwol arni ei hunan.

I orffen, cipiodd fag cefn oedd yn perthyn i Laura, ac wedi rhoi'r gyllell yn y sanau roedd wedi penderfynu eu gwisgo, aeth at y drws ffrynt. Edrychodd unwaith yn ôl ar hyd y cyntedd tywyll – a gollwng ei hunan i'r stryd.

Roedd hi'n hanner awr wedi saith ac yn tywyllu yn union fel yr oedd o ei eisiau. Nid oedd Ystafelloedd Te 'Iachawdwriaeth Iesu' ymhell, er nad oedd o'n adnabod y ffordd trwy'r strydoedd cefn felly aeth i'r ysgol ac ymlaen o'r fan honno, y ffordd roedd o'n siŵr ohoni. Nid ymhell.

Roedd y goleuadau y tu mewn i'r caffi'n loyw yn barod; lledaenodd siâp melyn dros y palmant fel lliain picnic. Tŷ pen oedd o, gyda'r drws ar ongl rhwng strydoedd. Ac wrth edrych ar hyd un ohonynt, gallai ddeall pam fod y caffi mor brysur – ychydig ddrysau i ffwrdd roedd lle tacsi, Capital Cabs, a rhes o hen geir. Edrychodd trwy'r ffenestri myglyd a gweld Faustin N'gensi yn eistedd wrth fwrdd ger y cownter cwsmeriaid, yn darllen; darllen sawl llyfr ar unwaith, fyddech chi'n ei feddwl, o'r twr oedd wedi eu gwasgaru.

Cymerwch amser, cymerwch amser. Os ewch chi i mewn yn rhy gyflym, ddowch chi byth allan! Weithiau gallai Rhingyll Matu adael i'r platŵn aros nes bod eu cyhyrau'n sgrechian. Ond roedd yn llygad ei le wrth wneud hynny. Gwelai Kaninda'r hyn roedd o eisiau ei weld – sawl bwrdd rhydd ac un yn union wrth y drws, â neb wrtho. Roedd yn rhaid iddo fynd i mewn heb gael ei weld os oedd am gael ymosod ar N'gensi. Arhosodd ychydig bach mwy, gan ddeall fod popeth yno fel y bu iddo ddarllen yr arwyddion oddi mewn, ac yna daeth sŵn drws car yn cau gyda chlep a cherddodd dau ddyn draw o Capital Cabs, pecynnau arian wedi eu taflu dros eu hysgwyddau. Gwnaeth Kaninda sioe o ddarllen y fwydlen yn y ffenestr:

* Brecwast drwy'r dydd
* Wy, chips, pys a ffa pob
* Saveloy, chips, tomato, pys neu ffa
* Cwpan/Mwg o de/coffi
* Tafell o fara menyn

Ond roedd y dynion yn gwybod beth roedden nhw eisiau, ac heb oedi, aethant i mewn.

Peidiwch â chymryd y bwrdd cyntaf! Peidiwch â chymryd y bwrdd ger y drws! Aeth Kaninda i mewn gyda nhw, trwy'r un agoriad yn y drws – ac aethon nhw ddim at y bwrdd cyntaf, aethon nhw ymhellach i mewn. Felly, llithrodd o i mewn gan eistedd lle'r oedd hynny'n ei siwtio fo orau, ei ben i lawr fel pe bai'n edrych ar y geiriau ar y bwrdd. 'Nid ar fara yn unig y bydd dyn fyw, ond ar bob gair sy'n dod allan o enau Duw. Mathew: 2.' Ond trwy gydol yr amser, roedd o'n edrych yn nrych y ffenestr er mwyn gwylio'r Yusulu.

Roedd dynes yn cludo platiau poeth o'r gegin ac yn gweiddi. 'Rhif saith!' Roedd hi'n iau na Mrs Capten Betty Rose, ac yn wyn, ac yn denau; mae'n rhaid ei bod hi'n byw yn ôl y geiriau ar y bwrdd.

'Fa'ma!'

Gan godi o'i lyfrau, aeth N'gensi â'r platiau i'r dynion oedd wedi galw. Gwelodd y ddau gwsmer newydd ac edrychodd ar y cloc. Roedd hi'n ddeg munud i wyth. 'Ocê,' meddai. Edrychodd heibio i gyfeiriad Kaninda, ond doedd hwnnw ond yn dangos corun ei ben iddo.

Ocê iddo yntau hefyd, meddyliodd Kaninda. Petai N'gensi yn dod i ofyn am ei archeb, byddai popeth yn hawdd. Tro cyflym a chaled o'r gyllell – ac allan o'r drws. Roedd yr arf yn ei law yn barod. Un gwth-iad ymlaen oedd ei angen, ac fe fyddai Kaninda hanner ffordd at yr afon cyn i neb ddringo dros gorff yr Yusulu yn y drws.

Aeth N'gensi ag archeb y ddau arall at y cownter. Rŵan, roedd o'n dod at Kaninda.

'Wyt ti yma i fwyta neu i ladd?' gofynnodd, gan sefyll drosto.

Achosodd hyn i Kaninda rewi am ychydig. Credai nad oedd o wedi cael ei adnabod; ond mi roedd; eto, roedd y bachgen hwn wedi dod ato i sefyll mor agos. Digon agos...

'Dwi'n gwybod beth sy' o dan y lliain bwrdd.'

Ail syndod. Yn enwedig gan mai Kaninda ddylai fod wedi bod ar y blaen; roedd y geiriau wedi bod yn barod yn ei geg eisoes: *Top posho* a *thatws melys*, wedi eu dweud yn dawel er mwyn gwneud iddo bwyso'n nes ar gyfer yr ymosodiad.

Ni symudodd N'gensi, ni fu iddo neidio o'r ffordd, ni redodd o amgylch y byrddau. Roedd yn sefyll yn ddewr. 'Ti'n meddwl 'mod i wedi lladd dy deulu? Wyt ti'n meddwl 'mod i'n dy feio di am fy nheulu i?'

Rŵan! Rŵan! Gwna fo rŵan! Ond eto, roedd llaw Kaninda'n llonydd.

'Yusulu, Kibu, Nyanga, Banyarŵan da, Tutsi, Hutu – mae'r llwythol bob amser yn wleidyddol, boi. Nhw a ni, ti a fi. Ond nid *fi* a *ti* mewn gwirionedd; yr arweinwyr sy'n ei wneud o fel y mae o.'

Rŵan, te! Eto, nid oedd neb o'u hamgylch yn rhoi unrhyw sylw i'r siarad tawel, mwyn gan y bachgen yma yn ei iaith ei hun.

'Rhif wyth!'

Ni throdd Faustin N'gensi. 'Cafodd fy nheulu eu lladd yn y ffordd waethaf. Erchyllder. Paid ti â chamgymryd hynny, boi. Rydw i'n casáu hefyd – ond dydw i ddim yn dy gasáu di. Mae dy gartref di dri chan milltir oddi wrth fy un i. Rhyfel llwythol sydd wedi gwneud hyn. Mae rhyfel yn ein codi ni i gyd a'n taflu ni ar y creigiau.'

'Rhif wyth!' Eto, ni edrychodd Faustin N'gensi yn ei ôl, ac aeth y ddynes â'r plât i fwrdd wyth ei hunan. 'Ffrindiau!' meddai hi. 'Pwy sy'n mynd i ddewis helpu pan fo ffrindiau i siarad efo nhw yn lle?'

Daliodd Faustin ei dir, ei ddwylo wrth ei ochr, y crys gwyn ar ei fol tenau fodfeddi'n unig oddi wrth Kaninda; hyd tri llafn cyllell i ffwrdd.

'Mae gen i chwaer i ddod o hyd iddi ryw ddydd...'

Chwaer. Fel Gifty fach – ond na fyddai *hi* byth yn cael ei dychwelyd.

'... Efaill. 'Run oed â fi, wedi mynd i ysgol mewn lleiandy. Cristnogol...'

Fel Laura. Ac fel y merched yn y tryc CU.

'... ond gwna fo, boi. Wna i ddim rhedeg oddi wrthat ti am byth. Maen nhw i gyd yn cyflawni erchyllder. Be' 'di un erchyllder arall?'

Roedd Rhingyll Matu wedi bod ag angen dirfawr o'r cwch os oedd o am fynd i fyny'r afon at y celc arfau y diwrnod hwnnw pan aeth o a Kaninda ar ragchwiliad – pan gerddodd Rhingyll Matu i ffwrdd gyda dyn y cwch gan siarad am addewidion o daliadau da a sigaréts. Roedd yr ymgyrch wedi mynd yn dda, a phan ddaethant yn eu holau gyda reifflau, roedd o a Kaninda wedi eu cario o'r lanfa at y platŵn y ffordd gyflym, trwy'r chwyn croeso haf.

Ac nid oedd Rhingyll Matu wedi poeni dim am yr hyn welodd Kaninda – milwr yn y rhyfel hwn oedd Kaninda ac roedd milwyr yn gwybod beth oedd yn digwydd.

Ond roedd Kaninda wedi cael ei wneud yn sâl gan yr olygfa. Cafodd pen dyn y cwch ei chwalu â chyllell fawr gyda'r fath rym fel nad oedd o'n rhan o'i gorff mwyach; y fath drawiadau i'r gwddf fel bod y corff yn ymddangos fel petai o wedi'i wagu o waed; ac roedd o wedi'i adael yn y pant mwd lle'r oedd morgrug a mosgitos wedi dechrau bwydo ar eu hunion. Roedd hynny wedi bod yn debyg i'r olygfa erchyll o ladd teulu Kaninda ei hunan; ac o fewn yr ychydig oriau a gymerodd yr ymgyrch, roedd yr oglau wedi chwyddo i lenwi'r awyr. Yna, ychwanegodd Kaninda ato gyda'i chwd.

Dyna oedd erchyllder. Erchyllder yw'r hyn nad oes ei angen er mwyn cwblhau ymgyrch, i ennill brwydr, i fod yn fuddugol mewn rhyfel. Mae erchyllder yn fwystfil-aidd, yn ddianghenraid – ac nid oedd angen lladd dyn y cwch yna o gwbl – heb sôn am wneud hynny mewn dull mor fwystfilaidd. Petai Rhingyll Matu ond wedi troi'i fraich y tu ôl i'w gefn fe fyddai wedi ildio'i gwch.

Ac roedd Rhingyll Matu yn Kibu, ar yr ochr gywir – ond doedd dyn y cwch ddim hyd yn oed yn Yusulu.

Ni wyddai Kaninda pam. Ond edrychodd ar wyneb llonydd Faustin N'gensi, a'r tensiwn ynddo, a rhoddodd orchymyn iddo.

'Brecwast trwy'r dydd,' meddai. 'Mawr. Brecwast dyn ar daith.' Ac fe aeth y bachgen tra bo Kaninda'n plygu ei hosan ac yn rhoi cyllell cegin Mrs Capten Betty Rose yn ei hôl.

Roedd y cwch bach yn sigledig pan ai rhywbeth mwy heibio. Efallai na ddylai fod wedi bwyta pryd mor dda, hyd yn oed am ddim. Ond fe fyddai'r pryd yn ei gynnal am amser hir. Fe fyddai Rhingyll Matu yn eu gorfodi i fwyta weithiau, pan nad oedden nhw'n gwybod hyd y daith o'u blaenau, neu os oedd yr ymgyrch yn un anodd i'w rhagolygu.

Fe fyddai gan y gyllell ei defnyddiau eraill heno. Fe fyddai'n torri'r rhaff i ryddhau'r dingi, rhwygo'r cynfas i'w adael i mewn o dan fad achub y llong. Fe fyddai'n siapio'r slatiau ffens roedd wedi eu cicio'n rhydd er mwyn creu rhwyfau.

Ac eto, eisteddodd yno'n hirach.

Roedd Faustin N'gensi yn Yusulu, nid Kibu. Er hynny, roedd wedi bod yn ddewr. Nid oedd wedi ymladd, na rhedeg, ond roedd wedi sefyll a *dadlau*. Roedd mathau gwahanol o ddewrder, nid ymladd yn unig, ac fe wyddai Kaninda hynny. Roedd wedi bod yn ddewr ei hunan drwy beidio â dilyn y Kibu fu'n rhedeg heibio'i dŷ, drwy oresgyn bywyd stryd Dinas Lasai gyda'r plant ar ffo cyn dod yn filwr, drwy fyw bywyd y fyddin rebel yn y gwersyll. Efallai bod hyn gan fod ei dad wastad wedi bod yn un dewr. Rheolwr Kibu ar gwmni tyllu Yusulu, yn dadlau ei fod yn gwneud y peth iawn; roedd sawl un na fyddai wedi llwyddo i gynnal y swydd tra'n ennyn parch o'r ddau gyfeiriad. Ac on'd oedd N'gensi wedi swnio fel ei dad heno, yn dadlau'r gwir, fel petai'n siarad yn fwyn am y pysgodyn hwn a'r pysgodyn arall, pryd a lle i fwrw'r wialen?

Ai dyna pam nad oedd o wedi lladd N'gensi – ei sioe ddewr – neu oedd yna ryw reswm arall i'w ychwanegu?

Rheswm fel Laura – roedd hi wedi penderfynu dod gydag ef i Affrica, mor ddewr, gadael ei theulu y tu ôl iddi. Laura, oedd yn union fel ei dad ei hunan mewn ffordd lwythol: ei dad wedi sefyll ar dir Yusulu fel Kibu a hithau'n sefyll ar dir y Seychelles a thir Lloegr gyda'i gilydd; ar dir du a gwyn. Efallai mai hi oedd yr un lwcus, hi oedd undod y tylwythau, cydblethiad. Person byd newydd, efallai. Y byd *hwn*.

Hynny yw, os oedd hi'n unrhyw beth o gwbl – gan ei bod hi bellach yn ddioddefwr yn y rhyfel gwirion yma rhwng pobl, pobl nad oedden nhw angen rhyfel; pobl oedd yn ymladd er mwyn y wefr, nad oedden nhw wedi blasu gwir erchyllder rhyfel.

Ie. Wrth eistedd yn oerfel y cwch sigledig, gwelai mai Laura oedd rhan o'r rheswm. Gwelai hi eto yn ei gŵn, ar ôl iddi ddod allan o'r bàth. Teimlai hi eto, yn ei gofleidio'n dynn ac yn crio yn ei freichiau. Blasodd eto halen ei dagrau pan fu iddo ei chusanu. Ei chofio'n edrych arno ac yn fflachio ei thafod. A meddwl am yr hyn ddigwyddodd iddi.

Ac efallai mai dyna beth oedd o, efallai wir, hynny a'r pethau y parodd Faustin N'gensi iddo feddwl amdanynt. Fflachiodd llafn y gyllell yng ngoleuadau Llundain – ond ni thorrodd Kaninda'r rhaff a ddaliai'r cwch. Rhoddodd y gyllell yn ôl yn ei hosan ac edrychodd i lawr yr afon wrth i'r dingi godi a gostwng. Fe gâi'r llong fynd i Affrica heno – ac fe gâi fynd hebddo. Fe adawai i'r rhyfel yn Lasai ymladd ei hun yn ddim – pa sut bynnag fyddai'n dod i ben, ni fyddai'n dod â'i fam a'i dad na Gifty fach yn ôl. Roedd dial yn golygu anafu rhywun addfwyn ac annwyl fel Laura.

Yn hytrach na gadael, fe fyddai'n mynd i'r ysbyty i'w gweld ac, ar ei ffordd, yn mynd â'r gyllell yn ôl i'w gartref.

Am yr Awdur

Bernard Ashley yw un o awduron gorau Prydain. Cafodd ei eni yn Woolwich, de Llundain, a bu'n efaciwî yn ystod y Rhyfel, gan fynychu pedair ar ddeg o ysgolion cynradd o ganlyniad. Ar ôl gadael ysgol, gwnaeth Bernard ei Wasanaeth Cenedlaethol gyda'r Llu Awyr lle bu'n 'hedfan' teipiadur. Yna aeth ymlaen i fod yn athro ac yna'n brifathro – ysgolion yn nwyrain a de Llundain oedd y ddwy olaf iddo weithio ynddynt, ardaloedd sydd wedi bod yn ysbrydoliaeth ar gyfer llawer o'i lyfrau. Bellach mae Bernard yn awdur llawn amser.

Sbardunwyd Bernard Ashley i ysgrifennu *Milwr Bychan* ar ôl gweld lluniau o fechgyn oedd yn filwyr yn rhyfel cartref Zaire. Parodd hyn iddo ddechrau ymchwilio yn Affrica ac y ysgolion de Llundain, lle mae llawer o ffoaduriaid rhyfel.

Cyrhaeddodd *Milwr Bychan* Restrau Byrion Gwobr Llyfrau Plant y Guardian a Medal Carnegie.

'Dawn fwyaf Bernard Ashley yw troi rhywbeth sy'n ymddangos fel realaeth gyffredin yn beth llawer cryfach a mwy soniarus.'—Phillip Pullman.

Hefyd gan Bernard Ashley . . .

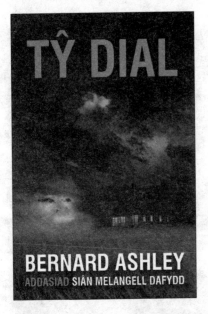

Pen y Gors. Unig, diarffordd a digysur. Mae mam Sophia'n dwlu arno. Ond i Sophia, does dim cysur i'w gael yn yr awyr eang all wneud iawn am golli ei thad a'i bywyd yn Llundain. Does dim byd byth yn digwydd yma. Hynny yw, tan i Dŷ Dial ddechrau datgelu ei gyfrinachau brwnt gan sugno Sophia a'i mam i fyd treisgar troseddwyr, a fydd, yn y pen draw, yn bygwth eu bywydau.

www.rily.co.uk

Llyfrau eraill gan RILY . . .

GOPP AD ATU

£4.99

978-1-904357-23-0

BRIAN KEANEY

YSGOL JACOB

MAE MILIWN O FFYRDD I GYRRAEDD GWAELOD YSGOL JACOB OND DIM OND UN FFURDD I GYRRAEDD Y BRIG

£5.99

978-1-904357-26-1

michael coleman

YDY LUKE YN GALLO DILYN LLWYBR NEWYDD?

pa ddewis

£5.99

978-1-904357-25-4

michael coleman

GANGIAU, RHYFEL, FFRINDIAU – FYDD YN RHAID I PETE DDEWIS?

tag

addasiad elin meek

£5.99

978-1-904357-24-7

www.rily.co.uk

RILY

Ydych chi am fentro i
ryfeddod byd ofnadwy
Anthony Horowitz!?

A N T H O N Y
HOROWITZ
ADDASIAD MARI GRUFFYDD
OFN

978-1-904357-17-9

A N T H O N Y
HOROWITZ
ADDASIAD TUDUR DYLAN JONES
LLOSGI

978-1-904357-20-9

A N T H O N Y
HOROWITZ
ADDASIAD TUDUR DYLAN JONES
BWTHYN TRO

978-1-904357-19-3

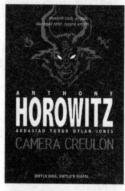

A N T H O N Y
HOROWITZ
ADDASIAD TUDUR DYLAN JONES
CAMERA CREULON

978-1-904357-18-6

A N T H O N Y
HOROWITZ
ADDASIAD TUDUR DYLAN JONES
BWS Y NOS

978-1-904357-22-3

A N T H O N Y
HOROWITZ
ADDASIAD TUDUR DYLAN JONES
Y FFÔN YN MARW

978-1-904357-21-6

www.rily.co.uk